JN037906

わけがわかる 小学社会

Gakken

CONTENTS

[目次]

地理

Q.01 下の地図から，田畑が多いのはどのようなところだとわかる？ —— 009

Q.02 Y で表される消防署の地図記号は，
何をもとにつくられた？ —— 011

Q.03 空の牛乳パックやペットボトルを，
スーパーマーケットで集めているのはなぜ？ —— 013

Q.04 森が「緑のダム」ともよばれるのはなぜ？ —— 015

Q.05 海辺などに古いペットボトルのごみが
長く残ってしまうのはなぜ？ —— 017

Q.06 世界地図のたてと横の線は，何のために引かれている？ —— 019

Q.07 日本にはおよそいくつの島がある？ —— 021

Q.08 ヨーロッパの技術者が日本の川を見て言ったとされる言葉は？ —— 023

Q.09 冬に太平洋側で晴れの日が多く，
日本海側で雪や雨の日が多いのはなぜ？ —— 025

Q.10 沖縄県の伝統的な家のまわりに石がきがあるのはなぜ？ —— 027

Q.11 米の品種改良をするのはどうして？ —— 029

Q.12 夜，まきあみ漁で魚をとりやすくするためにすることは何？ —— 031

Q.13 東北地方の日本海側の県より太平洋側の県のほうが，
漁獲量が多いのはなぜ？ —— 033

Q.14 寒いのに高原で野菜をさいばいするのはなぜ？ —— 035

Q.15 りんごは東北地方で，みかんは西日本のしゃ面でさいばいが
さかんなのはなぜ？ —— 037

Q.16 肉牛の飼育が北海道と九州でさかんなのはどうして？ —— 039

Q.17 食料自給率が低くなると，どうして問題なの？ —— 041

Q.18 工業地帯や工業地域が海沿いに集中しているのはなぜ？ —— 043

Q.19 近年，新聞の発行部数が減っているのは何がふきゅうしたため？ —— 045

Q.20 現金がなくても，ICカードやスマートフォンで
商品を買えるのはなぜ？── 047

Q.21 国産木材の利用を増やすことが，
日本の森林を守ることにつながるのはなぜ？── 049

Q.22 下の写真のし設は何のためにつくられた？── 051

Q.23 60〜70年ほど昔，高度経済成長が続くにつれ，
人々の健康被害がひどくなったのはなぜ？── 053

Q.24 下の図のア〜ウの登山道のうち，ウがいちばん楽に登れるのはなぜ？── 055

Q.25 日本で夜に始まったサッカーの試合が，
フランスでは昼に始まるのはなぜ？── 057

Q.26 日本で二酸化炭素を出さない太陽光発電や風力発電の
利用が進まないのはなぜ？── 059

■ 確認テスト【地理】── 061
■ もっとわけがわかる10問 ── 063

歴史

Q.01 なぜ，縄文時代とよばれるの？── 069

Q.02 弥生時代，集落をほりやさくで囲むようになったのはなぜ？── 071

Q.03 冠の色で役人の位を示す冠位十二階は，
何のために定められた？── 073

Q.04 中大兄皇子や中臣鎌足が大化の改新を始めた目的は？── 075

Q.05 東大寺の大仏は，何のためにつくられた？── 077

Q.06 奈良時代，税を地方から都に運ぶとき，
行きと帰りの日数にちがいがあったのはなぜ？── 079

Q.07 藤原氏が朝廷の高い地位を独占できたのはなぜ？── 081

Q.08 ひらがなやかたかなは，どうやってできた？── 083

Q.09 平安時代，武士はどんな人々からうまれた？── 085

Q.10 一生懸命という言葉の由来となったのはどれ？── 087

Q.11 鎌倉時代に開かれた新しい仏教によって，
どんな人々に仏教の信仰が広がった？── 089

Q.12 豊臣秀吉が刀狩を行ったのはなぜ？── 091

Q.13 外様大名が江戸から遠いところに配置されたのはなぜ？── 093

Q.14 江戸幕府が百姓に五人組をつくらせたのはなぜ？── 095

Q.15 江戸幕府が下の絵のような絵ふみを行ったのはなぜ？── 097

Q.16 江戸時代に，江戸や大阪で町人文化が発展したのはなぜ？── 099

Q.17 明治時代になると，江戸時代とはまちのようすが変わった。
　　　それはなぜ？── 101

Q.18 明治時代になって，江戸時代の税のかけ方を改めたのはなぜ？── 103

Q.19 ノルマントン号事件で，
　　　イギリス人の船長が軽いばつしか受けなかったのはなぜ？── 105

Q.20 次の詩にはどんな思いがこめられている？── 107

Q.21 昭和の初め，日本が人手とお金をかけて
　　　満洲での権利を守ろうとしたのはなぜ？── 109

Q.22 太平洋戦争の終わりごろ，都市部の小学生が
　　　地方へ集団疎開したのはなぜ？── 111

Q.23 1946年に選挙権をもつ人の割合が大きく増えたのはなぜ？── 113

Q.24 太平洋戦争が終わったあと，写真のように外で
　　　授業が行われたのはなぜ？── 115

Q.25 朝鮮戦争をきっかけに，日本の復興が進んだのはなぜ？── 117

　　■ 確認テスト【歴史】── 119
　　■ もっとわけがわかる10問 ── 121

政治・国際

Q.01 2002年から「看護婦」というよび名が「看護師」に変わった。
　　　それははなぜ？── 127

Q.02 憲法と法律ってどうちがうの？── 129

Q.03 現在の天皇が政治についての権限をもたないのはなぜ？── 131

Q.04 衆議院と参議院，二つの議院があるのはなぜ？── 133

Q.05 内閣総理大臣はどうやって選ばれる？── 135

Q.06 一つの事件について,
　　　裁判を 3 回まで受けることができるのはなぜ? —— 137

Q.07 国の権力を三つに分け,
　　　国会・内閣・裁判所に役割を分担させているのはなぜ? —— 139

Q.08 日本で選挙権をもつ年れいが20才以上から18才以上に
　　　引き下げられたのはなぜ? —— 141

Q.09 だれも税金を納めなかったらどうなる? —— 143

Q.10 アメリカでスペイン語を話す人々が増えているのはなぜ? —— 145

Q.11 中国できょうだいがいない人が多いのはなぜ? —— 147

Q.12 サウジアラビアの人々がぶた肉を食べないのはなぜ? —— 149

Q.13 国際連合がつくられたのは何のため? —— 151

Q.14 日本で硬貨の発行枚数が減ってきているのはなぜ? —— 153

Q.15 発展途上国に水道施設をつくることは,
　　　子どもの権利を守ることにつながる。それは, なぜ? —— 155

Q.16 多数決で決定するとき, 少数意見の尊重が大切なのはなぜ? —— 157

■ 確認テスト【政治・国際】—— 159
■ もっとわけがわかる10問 —— 161

■ 確認テストの解答と解説 —— 165

この本の特長と使い方

　丸暗記が苦手……。そんな人でも社会科をあきらめる必要はありません。
　この本は，できごとや現象の「理由」をつかむことで，関連する重要事項まで自然に楽しくおさえることができます。

　読み進めるうちに，あいまいだった知識が深まっていき，「あ，そういうことか」と納得できます。それをいくつか積み重ねるうちに，難しい問題に立ち向かう力や，忘れにくい本当の知識が身についていくのです。

　本書を通じて，考えることが好きな小学生が増えたなら幸いです。

編集部

案内役

ショガシャカ先生
社会科をきわめた先生。
おこるとちょっとこわいけれど，
本当はさびしがりや。

レモンくん
やる気まんまんのかんきつ類。暗記が苦手。
あげものが好き。

オモテ面

より深い知識を得られる問題や，中学入試で問われる問題をのせてあります。

ウラ面

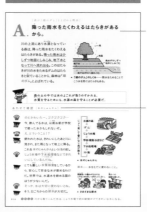

解答例
この通りでなくても，意味が同じなら正解です。

あわせて確認
問題に関連しておさえておきたい重要事項を，会話型式で説明してあります。

[確認テスト]
実力がついたかどうか，実戦形式で確かめてみましょう。

[もっとわけがわかる10問]
一つの分野が終わったら，この問題にも挑戦してみましょう。

地理

地理分野ついて、小学3〜5年の学習内容と、中学入試で問われるレベルの問題をあつかっています。

最初は何から
始めようか。

日本のすがたや，
日本の産業について
みていくよ。

Q.01

難易度 ★ ★

下の地図から，
田畑が多いのは
どのようなところだと
わかる？

ヒント

低くて平らな土地があることと，もう一つは
何かな？ ○○を得やすいところだ。

	高いところ
	少し高いところ
	低いところ

川

海

0　　10km

	森林
	田畑が多い ところ
	店や家が多 いところ
	公園
	工場
	そう庫や港

高い建物が
多いところ

0　　10km

A. 近くに川が流れているところ。
（川から水を得やすいところ）

農作物をつくるには水が欠かせない。そのため, 米や野菜をつくる田や畑は, 川の近くの水を得やすい平らな土地に多くつくられる。いっぽう, 果物は水が少ないほうがあまみがつまっておいしくなるため, 水はけのよい山のしゃ面でもさいばいされる（→p.38）。

▲ 農業用水路──用水路は川から取りこんだ水を農地（田や畑）に流す水路。

田や畑は, 米や野菜づくりには欠かせない水にめぐまれた川の近くにつくられるぞ。

あわせて確認 ［工場が多いところ］

港の近くの海岸線は, まっすぐになっているね。どうして?

よいところに気がついたな。あとでからあげを100個ごちそうしよう。これは自然の海岸線ではなくて, 人が海をうめ立ててつくった人工の海岸線なんだ。まっすぐなのは船をとめやすくするためさ。

ジグザグの海岸線だと, たしかにとめにくいね, なるほど。

船では, 工場でつくられる製品の原料などが運ばれてくるぞ。

だから海沿いに工場が多いのか!

そのとおり! 便利だからな。

理由がわかるとおもしろいね!

▲ うめ立て地につくられた工場

▲ 製品の原料となる石油を運ぶ船

 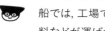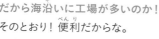くわしく 海沿いに工場をつくれば, 製品を海外に運ぶときにも便利である。

Q.02

難易度 ★ ★

Ｙで表される消防署の地図記号は，何をもとにつくられた？

ヒント　火事にゆかりのあるものをもとに
つくられた地図記号だ。

ア　昔，消防のために使われた道具

イ　現在の消防隊のしるし

ウ　火が燃える様子

A.

ア 昔, 消防のために使われた道具

消防署の地図記号のもとになった「さすまた」は, 昔, 火事になった家の柱をたおす道具として使われていた。柱をたおして家をこわすことで, 周辺の家に火が燃え移るのを防ぐことができる。このように地図記号には, その建物や土地利用にゆかりのあるものが多い。

▲ さすまた (アフロ)

▲ 火事のときに, さすまたで柱をたおしている様子

興味をもった地図記号のゆらいを調べてみよう。

あわせて確認 [地図記号, 地図からわかること]

地図記号には消防署のほかにどんなものがあるの?

主な地図記号は右の表にまとめたぞ。土地利用の地図記号もあるぞ。

学校のあっちにある畑は Ｖ で表されるのか。へー。

あっちってどっちだー! そういうときは, 方位を使って言い表すぞ。地図では方位記号 (╋) の矢印の指す方が北だ。ふつうは上が北になる。

たしかに学校の南にある畑って言えばだれでもわかるね。9ページの地図の下にあるものさしは何?

これはスケールだ。これを目安に実際のおよそのきょりがわかるぞ。

文 小・中学校	卍 寺	⚓ 港
⊗ 高等学校	✚ 病院	♨ 温泉
◎ 市役所	血 図書館	‖ ‖ 田
○ 町・村役場	血 博物館	Ｖ Ｖ 畑
× 交番	血 老人ホーム	ò ò 果樹園
⊗ 警察署	✿ 工場	Q Q 広葉樹林
〒 ゆうびん局	✿ 発電所・変電所	∧ ∧ 針葉樹林
Ｙ 消防署	✿ 灯台	┤┼┤ 鉄道
卄 神社	卩 城あと	

▲ 主な地図記号

▲ 八方位 ── 東西南北のことを四方位という。

▲ 方位じしん ── 方位を知りたいときに使う。

◆くわしく◆ 土地の高さや土地・建物の様子などを表した地図を地形図という。

Q.03

難易度 ★ ★

空の牛乳パックや
ペットボトルを，
スーパーマーケットで
集めているのはなぜ？

ヒント　ごみとして捨てるのではなく，
何かをするためだ。

A. （牛乳パックやペットボトルを）リサイクルするため。

牛乳パックはティッシュペーパー，ペットボトルは衣服などの原料となり，再利用されている。こうした，ごみを原料にもどし，つくり直して再び使えるようにすることをリサイクルという。このようにスーパーマーケットは，品物を売ること以外の取り組みも行っている。

手順① 空の牛乳パックを水洗いする
手順② はさみで切り開き，かわかす
手順③ リサイクルコーナーにもっていく

▲ 牛乳パックの回収のルール
—— リサイクルできる容器には右のマークがついている。
（一般社団法人日本乳業協会資料）

紙パック

スーパーのリサイクルコーナーは，ごみを減らすための取り組み（→p.18）の一つ。みんなで協力してリサイクルを進めよう。

あわせて確認 ［スーパーマーケットの工夫］

スーパーが品物を売ること以外の取り組みをしているのはなんで？

地域にこうけんするためさ。ほかに，スーパーは買い物をしやすいようにさまざまな工夫をしている。

へー。例えばどんな工夫？

一度に買いたいものがそろうように，食料品のほかに日用品など，品物の種類を豊富にしているぞ。

品物の置き場が書かれたかんばんがあるから，どこに何があるかわかりやすいね！

そうだな。しょうがいのある人専用のちゅう車場もある。多くの人が利用しやすい工夫の一つだ。

（Cynet Photo）
▲ 品物の置き場が書かれたかんばん

▲ しょうがいのあるの人専用のちゅう車場

Q.04

難易度 ★ ★ ★

森が
「緑のダム」とも
よばれるのはなぜ？

ヒント ダムにはどのようなはたらきがあったか，
思い出そう。

A. 降った雨水をたくわえるはたらきがあるから。

川の上流にあり水源となっている森は, 降った雨水をたくわえるはたらきがある。降った雨水は少しずつ地面にしみこみ, 地下水となって川へ流れ出る。このはたらきが川の水をためるダムのはたらきと似ていることから, 森林は「緑のダム」とよばれている。

▲ 「緑のダム」のしくみ——雨水をためることでこう水を防ぐはたらきもある。

 森の土の中では水のよごれが取りのぞかれる。
水質を守るためにも, 水源の森を守ることが必要だ。

あわせて確認 ［水のじゅんかん］

 のどかわいたー。ゴクゴクゴク…

今, 飲んでる水は, 以前お前が学校で使った水かもしれないぞ。

 え, どういうこと！？

使われた水は, きれいにしたあと川に流され, また雨となって地上に降る。これを水のじゅんかんという（右の図）。

 じょう水場や下水処理場などできれいにしているんだね。

とても厳しい水質検査をしているから, 安心して安全な水が飲めるわけだ。世界では, 水道水を飲める国のほうが少ないんだ。

 そっか, 水は大切に使わないとね。

そう, 日ごろからの節水が大切だ。

▲ 水のじゅんかん

節水 —— 水をむだに使わないこと。

▲ さまざまな節水

くわしく 川から取りこんだ水は, じょう水場で約6時間かけてきれいな水になる。

Q. 05

難易度 ★ ★ ★

海辺などに古い
ペットボトルのごみが
長く残ってしまうのは
なぜ？

ヒント

ペットボトルは
何からつくられる？

A. 正しく処理されないと，分解されるのにとても長い時間がかかるから。

プラスチックは石油（原油）からつくられる。とくにペットボトルの場合，時間がたっても自然には分解されにくく，分解されて細かくなるまで約400年もかかる場合もある。そのため，自然界に長く残り続け，自然や海洋生物，水産業などに深刻なえいきょうをあたえる。

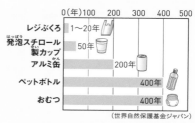

▲ 海洋のごみが分解されて細かくなる年数

プラスチックごみを減らすために，2020年からレジぶくろの有料化が始まった。

あわせて確認 ［ごみの処理と再利用］

😖 プラスチックは燃えないごみ？

🕵 ペットボトルや食品トレーは資源，ほかは燃えるごみのことが多い。

😖 けっこう難しいね。

🕵 でも，分別しないと，きちんと処理できないぞ。なお，燃えるごみは清そう工場で燃やされる。

😲 へ～，燃えてなくなっちゃうのか。

🕵 いや，灰が残るぞ。灰のほとんどが処分場にうめられる。ただ，処分場の場所にも限界があるから，ごみを減らす取り組みが大切なんだ。

😊 買い物にエコバッグを持っていくよ。

🕵 おれは，おかしのかんをレモンの入れもんにして再利用してるぞ。

（新潟市提供）

▲ ごみの分別の例——地域によって分別のルールは異なる。資源にできるものはなるべく資源にするとごみが減らせる。

ごみを減らす3R
リデュース——ごみを減らすこと。
リユース——ものをくり返し何度も使うこと。
リサイクル——ごみを原料にもどして，再び使えるようにすること。

最近，いらないものを断る「リフューズ」も加えて，4Rともよばれている。

くわしく 日本全国のごみの処理には年間で約2兆円もかかるといわれる。

Q.06

難 易 度 ★ ★

世界地図のたてと横の線は,何のために引かれている?

ヒント よく見ると,線だけではなく,数字も書かれているぞ。

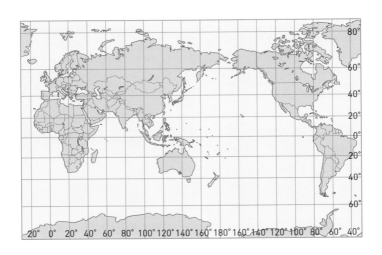

A. 地球上の位置を表すため。

地図に引かれているたての線を経線,横の線を緯線という。経線は経度0度の経線(本初子午線)を基準に東西に180度まで,緯線は緯度0度の緯線(赤道)を基準に南北に90度までを等間隔に分けている。経度と緯度を使えば,国や都市の位置を正確に伝えることができる。

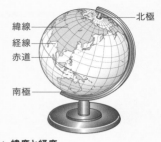

▲ 緯度と経度

経線は北極と南極を結び,緯線は赤道と並行に引かれているぞ。

あわせて確認 ［世界の中の日本の位置］

 経度と緯度を使わなくても,「日本は世界地図の真ん中にある」って言えば伝わるんじゃない?

 では,右の地図の日本はどこにある?

 あれ!? 日本が地図の右にあるぞ!?

 これは経度0度を真ん中にした地図だ。日本が世界地図の真ん中にあるとは限らない。

 経度と緯度を使うしかないのか。

 大陸や海との位置関係で,日本の位置を言い表すこともできる。

 えっと,日本はユーラシア大陸の右…じゃなくて東にあるね!

 そう! 方位で伝えることが大事だ。太平洋の西にあるともいえる。

▲ 0度の経線が真ん中にある世界地図
——ふだんよく見る世界地図は,日本が真ん中にえがかれた地図。

▲ 六つの大陸と三つの大きな海

くわしく 赤道より北側を北半球,南側を南半球という。

Q.07

難易度 ★ ★ ★

日本にはおよそいくつの島がある?

ヒント　大きな島だけで4つあるぞ。

ア およそ10	イ およそ70
ウ およそ1000	エ およそ7000

（アフロ）

［日本の島の数］

A. エ およそ7000 (約6800以上)

日本列島は北海道, 本州, 四国, 九州の4つの大きな島と, 沖縄島や淡路島をはじめ多くの島々でなりたっている。これらの島々はすべて日本の領土であるが, 択捉島などからなる北方領土はロシアと, 竹島(島根県)は韓国との間で領土をめぐる問題がある。

▲ 北方領土の位置——北方領土は北海道に属し, 択捉島, 国後島, 色丹島, 歯舞群島で構成されている地域。

日本はせまい国というイメージがあるかもしれないけれど, 海岸線の長さはアメリカの海岸線よりも長いぞ。

あわせて確認 ［国の領域, 排他的経済水域］

 国の領域は, 領土のほか, 領海(領土周辺の海)と領空(領土・領海の上空)がある。

 海も空も国の一部ってことね。右の地図の排他的経済水域って?

 海岸線から200海里(約370km)までの, 領海をのぞいた海だ。そのはん囲内の魚や石油などの資源は沿岸国のものになるのさ。

 右下の沖ノ鳥島は何かで囲まれているね。島を工事しているの?

 守るためさ。沖ノ鳥島が水ぼつしてしまうと, 日本はおよそ40万km²の排他的経済水域を失うんだ。日本とほぼ同じ面積だ。

 広い! ちゃんと守らないとダメだね。

領土—— 国の陸地と, その陸地にある湖や川などを合わせた土地。

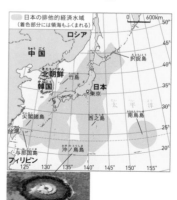

(朝日新聞社)

▲ 日本の排他的経済水域——日本は島が多いことから, 排他的経済水域が国土面積の10倍以上もある。

くわしく 中国は尖閣諸島の領有を主張しているが, 日本政府は日本固有の領土で, 領土問題は存在しないとしている。

Q.08

難易度 ★ ★

ヨーロッパの技術者が日本の川を見て言ったとされる言葉は？

ヒント

日本の川の特ちょうを表現した言葉だ。

ア 「これは川ではない。滝だ。」

イ 「これは川ではない。噴水だ。」

ウ 「これは川ではない。お風呂だ。」

川だよ？

シーッ

A. ア 「これは川ではない。滝だ。」

日本の地形は国土のおよそ4分の3が山地で山がちな地形が特ちょうである。また、大陸を流れる川と比べて、日本の川は高いところから流れていて長さが短い。そのため、日本の川は、世界の川と比べて、川の流れが急になっている。

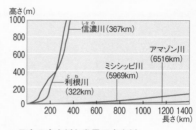

▲ 日本の主な川と世界の主な川

この言葉を言ったヨーロッパの技術者は、明治時代に日本に来たオランダ人だ。

あわせて確認 ［日本の地形の特ちょう］

 ぼくの家のまわりには、山はないよ。

日本の人口の半数以上は、国土の約14%の平野などの低地でくらしているからな。

 へー、そうなんだ。平野のほうが坂道が少なくてくらしやすいよね。

それに、山地から流れてきた川の水を使って、米や野菜などを育てることができるしな。生活するのに便利だ。

 それ、10ページでやったね！

また、日本は火山が多いのも特ちょうだ。日本一高い富士山も火山なんだぞ。

▲ 日本の主な地形（山地・山脈・川・平野）──とくに険しい山脈は日本の中央部に集中している。

▶ さまざまな地形

山地 ── 山が集まっているところ

山脈 ── 山が連なっている山地

平地 ── 平らな土地

平野 ── 海に面した平地

盆地 ── 山に囲まれた平らな土地

台地 ── 平地の中でまわりよりも高くなった土地

くわしく 飛驒山脈・木曽山脈・赤石山脈はまとめて「日本アルプス」ともよばれる。

Q.09

難易度 ★ ★

冬に太平洋側（たいへいようがわ）で晴れの日が多く,日本海側（にほんかい）で雪や雨の日が多いのはなぜ?

ヒント　雪や雨を降（ふ）らせる「何か」のえいきょうを受けているからだ。

A. 季節風と国土の中央に連なる山地のえいきょうを受けているから。

夏は南東, 冬は北西から季節風が日本にふく。冬はこの季節風が日本海の上空で水蒸気をふくみ (右図①), 山地にぶつかったときに (右図②), 手前の日本海側に多くの雪や雨を降らせる(右図③)。逆に, 夏は南東からの季節風が太平洋側に多くの雨を降らせる。

▲ 冬の季節風のしくみ

季節風 —— 季節によって風向きが変わる風。日本の気候に大きなえいきょうをあたえている。

冬の太平洋側ではかわいた北西の風がふいて, 晴れる日が多い。

あわせて確認 ［瀬戸内の気候の特色］

 右の写真には大きな水たまりが見えるね。大雨でも降ったのかな?

 これは, ため池という人工的につくられた池さ。香川県などでみられる。

何のためにつくられたの?

それは瀬戸内の気候と関係している。右の地図を見て。瀬戸内は中国山地と四国山地に囲まれている。瀬戸内の雨の量はどうなると思う?

 季節風は山地の手前に雨を降らせるから…, 雨の量は少ない…かな?

 そう! だから瀬戸内では水不足になることが多かった。そこで昔からため池をつくって水不足に備えてきたんだ。

◀ 讃岐平野のため池(香川県)

(フォト・オリジナル)

◀ 瀬戸内の位置 —— 瀬戸内は, 夏は四国山地に, 冬は中国山地に季節風がさえぎられ, 雨が少ない。

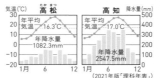

◀ 高松市(香川県)と高知市の月別平均気温と降水量

(2021年版「理科年表」)

くわしく 中央高地 (内陸) の気候も瀬戸内の気候と同じく年間の降水量が少ない。

Q.10

難易度 ★ ★

沖縄県の伝統的な家のまわりに石がきがあるのはなぜ？

ヒント　沖縄県で多い何かに備えるためだよ。

（J.Sフォト）

[沖縄県の伝統的な家のまわりに石がきがある理由]

A. 台風に備えるため。
（台風の被害を防ぐため。）

沖縄県は台風の通り道にあることから, 台風の強風による被害を防ぐため, 伝統的な家のまわりは石がきや,「ふくぎ」(防風林)で囲まれている。現在は, コンクリートでできた家が多くなってきたが, コンクリートや平らな屋根は強風の被害を防ぐための工夫である。

(Cynet Photo)

▲ 沖縄県でみられるコンクリートづくりの家
── 沖縄県には雨水をたくわえる大きな森がなく, 川が短いため, 屋根の上に貯水(給水)タンクがある家が多い。

北の北海道では寒さや雪に備えた家づくりをしている。自然環境に合わせているってことだ。

あわせて確認 [沖縄県の産業]

さて, 問題。右の写真は何月の沖縄県の様子だと思う?

海水浴してるから8月じゃない?

これは3月の海開きの写真さ。沖縄県は南西諸島の気候で, 冬でも暖かいんだ。

3月から海で遊べるのか!

沖縄県はこの暖かい気候をいかした観光業が発達しているよ。

ほかにどんな産業がさかんなの?

農業では, さとうきび, パイナップル, 最近ではきくのさいばいも増えてきているよ。

▲ 沖縄県の海開き　　（朝日新聞社）

▲ さとうきび畑 ── さとうきびは, 日照りに強く, 気温の高い地域でのさいばいに適している。

(2点ともピクスタ)

▲ 電照ぎくのさいばい ── 電灯を使って花がさく時期を調整し, 出荷量が少ない冬の時期に出荷している。

◆くわしく 沖縄県のエイサーや琉球舞踊などの独自の文化も観光客に人気。

Q. 11

難易度 ★ ★ ★

米の
品種改良をするのは
どうして?

ヒント

品種改良とは,性質のよい品種を組み合わせて新しい品種をつくること。

[米の品種改良をする理由]

A. 寒さや病気に強く,おいしい米をつくるため。

米づくりには,春から秋に長い日照時間が必要となる。しかし,米づくりのさかんな東北地方では夏の日照時間が短くなり,稲が十分に育たなくなることがある。そのため,地域の農業試験場では,寒さや病気に強くおいしい米をつくるために品種改良を行っている。

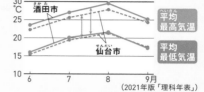

(2021年版「理科年表」)

▲ 6～9月の庄内平野にある**酒田市(山形県)**と**仙台市(宮城県)気温**—— 夏に昼と夜の気温差が大きく,雪どけ水が豊富な庄内平野は,米づくりに適した気候である。

品種改良によって,地域の気候の特色に合った,じょうぶでおいしい米がつくられているぞ。

あわせて確認 [米づくりの工夫]

米づくりは右の図のような流れで行われる。田おこしや稲かりは大型の機械を使うことが多いのだ。

人でもできるのに,どうして大型の機械を使うの?

農作業を楽にするためさ。機械のほうが短時間で農作業が終わるしね。小さい田は,大型の機械を使うために,耕地整理(ほ場整備)をする。

とれた米はすぐ出荷されるの?

農家を中心とするカントリーエレベーターに集められ,保管される。農業協同組合(JA)の計画のもと,全国に出荷されるぞ。

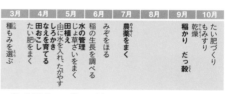

3月	4月	5月	6月	7月	8月	9月	10月
種もみを選ぶ	田おこしたい肥をまく	しろかきなえを育てる田植え水を入れ,たがやす	稲の生長を調べる水よう・草とりをする	みぞをほる農薬をまく		稲かりだっ穀乾燥もみすり	たい肥づくり

▲ 米づくりカレンダーの例

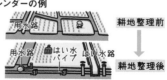

耕地整理前
↓
耕地整理後

▲ **耕地整理(ほ場整理)前後の田**—— 耕地整理とは,さまざまな形をした小さい田を広い田につくり変え,用水路やはい水路を整備すること。

農業協同組合(JA)—— 農家を中心とする団体。技術指導や農機具・肥料のはん売,資金の貸し付けなどを行う。

くわしく 日本では,米の消費量が減り,農業で働く人が少なくなっている。

Q.12

難易度 ★

夜,まきあみ漁で魚を とりやすくするために することは何?

ヒント **魚の習性を利用するぞ。**

ア **音を鳴らす。**

イ **海を明かりで照らす。**

ウ **ルアーをたくさん浮かせる。**

A. イ 海を明かりで照らす。

まきあみ漁は沖合漁業でいわし，あじ，さばなどをとる際に行われる漁法の一つ。まず魚群探知機（ソナー）で魚の群れを見つけ，次に明かり（集魚灯）を照らして魚の群れを集める。そして，あみを海中に入れながら魚を囲いこみ，あみの底をしぼるようにして魚をとる。

集魚灯をてらし魚を集める

▲ まきあみ漁のしくみ

沖合漁業 ── 10t以上の船で数日がかりで行われる漁業。

広い海で効率的に魚をとるために，魚の習性や種類に適した漁法で漁が行われている。

あわせて確認 ［水あげされた魚のゆくえ，水産業の課題］

 水あげされた魚はどうなるの？

 仕分けされ，漁港の市場でせりにかけられて全国へ出荷されるぞ。

 スーパーの魚売場で値札に書いてある養殖ってどういう意味？

 魚や貝などをいけすなどで人工的に育てた魚や貝という意味さ。

 海で魚をとればいいのに…。

 今，魚のとりすぎなどが原因で世界的に魚が不足していて，沿岸から200海里（約370km）までの水域では，他国の水産業が制限されているんだ（→p.22）。だから，自然の海で魚をとるほかに，養殖業で魚や貝を育ててもいる。

 水産資源を保護しているんだね。

▲ せりの様子

せり ── 品物の売り手と買い手が集まり，買い手が値段をつけ合って，最も高い値段をつけた買い手に売る方法。

■ 日本の200海里水域
■ 世界の200海里水域 （2016年）（国際連合食糧農業機関）

▲ 日本と世界の200海里水域（排他的経済水域）

　 稚魚や稚貝を海などに放流し，大きくなってからとる漁業はさいばい漁業。

Q.13

難易度 ★ ★

東北地方の日本海側の県より太平洋側の県のほうが, 漁獲量が多いのはなぜ?

ヒント

太平洋側に魚が多く集まっているということ。その理由を考えよう。

A. 東北地方の太平洋側の沖合に潮目（潮境）があり、多くの魚が集まるから。

東北地方の三陸海岸沖には、寒流の親潮（千島海流）と暖流の黒潮（日本海流）がぶつかる潮目（潮境）がある。潮目は魚のえさとなるプランクトンが豊富で、魚が多く集まる好漁場となっている。そのため、太平洋側には石巻港や八戸港などの日本有数の漁港がある。

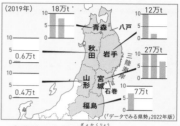

▲ **東北地方各県の漁獲量**

三陸海岸沖をふくむ世界三大漁場は、すべて寒流と暖流がぶつかる場所となっている。

あわせて確認 ［日本の水産業の現状］

 32ページで習った沖合漁業と養殖業のほかにどんな漁業があるの？

 主に遠洋漁業と沿岸漁業、さいばい漁業があるぞ。

 右のグラフを見ると、日本の漁獲量は以前よりも減っているね。

 そう。さらに、最近、食の好みの変化や調理時間がかかるなどの理由で、日本の魚の消費量も減ってきている。

 たしかに、魚は骨を取るのが大変…。

 最近は少しずつ消費量が増えつつある。だが、魚を買う人が減ったことなどから、漁師の数が減っているんだ。

 魚のおいしさや水産業の魅力がみんなに伝わるとよさそうだね。

遠洋漁業——大型船を使って遠くはなれた海で長期間行われる漁業。
沿岸漁業——沿岸やその近くの海で小型船を使って日帰りで行われる漁業。

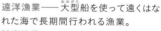

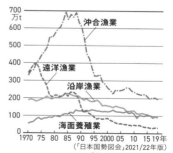

▲ **漁業別漁獲量の移り変わり**——沖合漁業・沿岸漁業は、魚の減少や外国産の安い魚の輸入の増加などで、1990年代から減少した。

くわしく 静岡県の焼津港は遠洋漁業がさかんで、かつおの水あげ量は日本一。

Q.14

難易度 ★ ★

寒いのに
高原で野菜を
さいばいするのはなぜ？

ヒント　高原は低地より気温が低いことをいかして, ほかの産地で生産が少ない時期に出荷できる。

▲ 嬬恋村（群馬県）のキャベツ畑

(Cynet Photo)

A. 高い値段で売ることができるから。

暑さに弱いキャベツやレタスなどの葉物の野菜は夏に出荷量が少なくなる。しかし, 群馬県嬬恋村などの高原は, 夏でもすずしく, これらの野菜がさいばいできる。この特色をいかして, 嬬恋村では出荷量が少なく, 値段が高くなる夏に多く出荷している(高原野菜)。

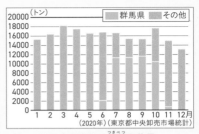

▲ キャベツの主な産地の月別入荷量

高原などでさかんな, 出荷時期をおくらせるさいばい方法を抑制さいばいという。

あわせて確認 ［時期をずらすさいばい方法］

 嬬恋村にはもともと栄養分が少ないやせた土地が広がっていたんだ。

 それだと農作物が育ちにくいんじゃ？

 そう。だから人々は土地を耕し, さいばい方法を工夫したんだ。

 そんな苦労があったのか。

 あと, 促成さいばいも学んでおこう。

 どんなさいばい方法なの？

 出荷時期を早める方法さ。冬でも暖かい高知平野などで行われている。

 早く出荷してもいいことがあるの？

 買いたい人が多いと高く売れる。春が旬のいちごが12月に多く出荷されるのは, クリスマスの時期にケーキがたくさん売れるからなんだ。

▲ 高知平野のなすの促成さいばい

(Cynet Photo)

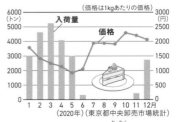

▲ いちごの月別入荷量と価格の変化

くわしく 標高が高い長野県の野辺山原でも抑制さいばいがさかんである。

Q. 15

難易度 ★ ★

りんごは東北地方で,みかんは西日本のしゃ面でさいばいがさかんなのはなぜ?

ヒント　りんごとみかんがさいばいされている場所は,それぞれどのような気候かな?

ア　りんごは暖かい気候,みかんは寒さが厳しい気候がさいばいに適しているから。

イ　りんごはすずしい気候,みかんは暖かい気候がさいばいに適しているから。

ウ　りんごは乾燥した気候,みかんは一年中すずしい気候がさいばいに適しているから。

A. イ りんごはすずしい気候，みかんは暖かい気候がさいばいに適しているから。

りんごは，秋に気温が低くなることでよく色づき，昼と夜の気温差が大きいことであまみが増すことから，東北地方などのすずしい気候がさいばいに適している。また，みかんは，十分な太陽光が生育に必要なことから，日当たりのよい温暖な山のしゃ面がさいばいに適している。

りんご （「データでみる県勢」2022年版）
みかん
（2020年）

青森
秋田
山形
長崎
長野
岩手
熊本
愛媛
和歌山
静岡

▲ りんごとみかんの生産量の多い県

農作物のさいばいには，その地域の地形や気候が深く関わっているってこと。

あわせて確認 ［果物のさいばいがさかんな地域］

ぶどうともも，おいしいなぁ。ずっと食べていられるよ。先生にもあげる。

おっ，ありがとう！ 福島のももだな。このももやその山梨のぶどうは，ともに盆地でさいばいされているぞ。

盆地ってどういうところなの？

山に囲まれた平地（→p.24）だ。昼と夜の気温差が大きく，水はけがよい土地だから，果物のさいばいには絶好の場所なんだ。

田に水をためてさいばいする米とは大ちがいだね。

果物は水分が少ないほうがあまみがぎゅっとつまっておいしくなる。

ぶどう
山梨 21.4%
長野 19.8
山形 9.5
その他

もも
山梨 30.7%
福島 23.1
長野 10.4
その他
（2020年）
（「データでみる県勢」2022年版）

▲ ぶどうとももの生産量の割合

（Cynet Photo）

▲ 甲府盆地（山梨県）でのぶどうさいばい

◆くわしく◆ 近年，果物をジャムやジュースに加工して販売する農家も多い。

Q.16

難易度 ★★

肉牛の飼育が北海道と九州でさかんなのはどうして?

ヒント

肉牛は食肉にされる牛。肉牛を育てるには何が必要かな?

ア 肉牛の飼育には,えさとなる野菜の生産量が多い地域が適しているから。

イ 肉牛の飼育には,牧草がよく育つ雨が多い気候が適しているから。

ウ 肉牛の飼育には,えさとなる牧草が育つ広い土地が必要だから。

A. ウ 肉牛の飼育には,えさとなる牧草が育つ広い土地が必要だから。

北海道と九州地方南部には,広い牧草地がある。また,これらの地域の気候や土地は米などのさいばいに適していないため,畜産業が発達している。牛舎のみの飼育は牛の健康によくないため,放牧をすることで,良質な肉の牛にすることができる。

（「データでみる県勢」2022年版）

□ 肉牛
▨ 乳牛

（2021年）

熊本　宮崎　群馬　北海道　岩手　栃木　鹿児島

▲ 肉牛と乳牛の飼育がさかんな道県

放牧——家畜を放し飼いにすること。

農作物のさいばいに適していない地域の中には,牛や豚などを飼育する畜産業がさかんなところもある。

あわせて確認　［安全・安心な肉牛を出荷する工夫］

きのう「宮崎牛」の特選ギフトが届いたよ。今日食べるの楽しみー!

肉にレモンはかけるの? さて,肉牛を育てる農家は2種類あるって知ってた? 子牛を育てるはんしょく農家と,子牛を肉牛に育てる肥育農家だ。

そうなんだ。一頭の牛は,ずっと同じ農家が育てるのかと思ってた。

肥育農家で18〜20か月育てられた肉牛は, 食肉処理場へ出荷されて解体・処理される。解体前にはじゅう医師による検査が行われるぞ。

何を検査するの?

肉牛に病気がないかを調べるのさ。安全・安心な肉を出荷するためにね。

（朝日新聞社／Cynet Photo）

▲ 子牛のせりの様子——産まれた子牛は, 10か月ほど飼育された後, せりに出される。

（朝日新聞社）

▲ 食肉処理のようす

　くわしく ブランド牛の「宮崎牛」は海外でも人気で, 近年, 輸出量が増えている。

Q.17

難易度 ★ ★ ★

食料自給率が
低くなると,
どうして問題なの?

ヒント

食料自給率は国内で消費された食料のうち,自国で生産されている食料の割合。

A. 外国からの輸入がとだえたときに，食料不足になるおそれがあるから。

食料を長い間，外国からの輸入にたよっていると，輸入先の国で不作になるなどして，日本への輸出量が減ったり，とだえたりして，日本で食料不足が起こるおそれがある。

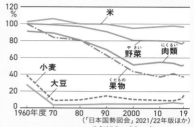

▲ 日本の主な食料の自給率の移り変わり

（「日本国勢図会」2021/22年版ほか）

国内の食料の生産を安定させることが大切だ。

あわせて確認　［食料生産を安定させるための取り組み］

 輸入にたよらず，日本の食料生産を安定させるにはどうしたらいいと思う？

 とりあえず，いっぱいつくっちゃう？

 たくさんつくっても，それが売れなければ農家の人が困るぞ。

 そっか！ぼくらがどんどん国内産の農産物を買ってあげればいいのか！

 そう！注目されているのは，地元の農産物を地元の人が消費する地産地消だ。地元でとれた農産物は輸送費などの費用があまりかからないから，その分安く買えるしな。

 あと新せんだしね！安心感もある！

 トレーサビリティという安心して食料を買えるしくみもあるぞ。

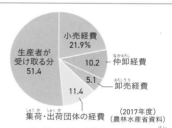

▲ ねぎが消費者にとどくまでにかかる経費（費用）の内訳 —— かかわる人がふえるほど経費がかかる。

（2017年度）（農林水産省資料）

- 生産者が受け取る分 51.4
- 集荷・出荷団体の経費 11.4
- 卸売経費 5.1
- 仲卸経費 10.2
- 小売経費 21.9%

▲ トレーサビリティ —— 農産物の生産者，生産日，生産方法などの情報や，輸送経路の情報などを消費者が確認できるしくみ。

  くわしく　近年日本では，農産物のブランド化を進める農家もみられる。

Q.18

難易度 ★★

工業地帯や工業地域が海沿いに集中しているのはなぜ？

ヒント

海沿いにあると, 何に便利かな？

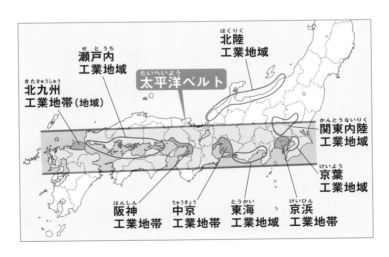

A. 工業製品の原料の輸入や製品の輸出に便利だから。

資源が少ない日本は，工業の原料となる原油や鉄鉱石を外国からの輸入にたよっている。また，これらの原料は船で輸入されるため，港の近くに工場が多く集まり，工業地帯（工業地域）が形成された。工業地帯が集中する，関東地方南部から九州地方北部にかけての地域を太平洋ベルトという。

工業地帯（工業地域）—— 工場が多く集まり，工業がさかんな地域。

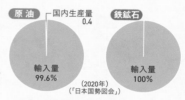

▲ 日本の石炭，鉄鉱石の自給率

近年は，高速道路の整備などにより，内陸部でも工業地域が発展しているぞ。

あわせて確認 ［工業の種類，日本の工業の変化］

 日本の工業の割合のグラフをつくってみたよ。機械工業が中心なんだ。

 おぉ！自主勉か！そんなレモンには右のグラフをプレゼント。

 ん!? 日本は機械工業がさかんなのに，機械類の輸入が増えている？

 現在は，原料のほか，アジアなどの安い工業製品の輸入も多いのさ。

 安い製品のほうがうれしいし，このままたくさん輸入しちゃおう！

 日本の産業がどうなるかを考えて！右の図のように，近年，日本国内の産業がおとろえる産業の空どう化が起こっている。工場が閉じて仕事を失う人が出て，問題になっているんだ。

機械工業 46.0%	金属工業 13.5	化学工業 13.4	食料品工業 11.9	その他 14.0

せんい工業 1.2

（2018年）（「日本国勢図会」2021/22版）

▲ 日本の工業生産額の割合

	機械類		鉄くず 5.1	
1960年	せんい原料 17.6%	石油 13.4	7.0	その他 56.9

		液化ガス 5.4	医薬品 4.7	
2020年	機械類 27.1%	石油 8.7		その他 54.1

（「日本国勢図会」2020/21版）

▲ 日本の輸入品の変化

アジアなどの安い工業製品を多く輸入する。

日本国内の工業生産が減少する。

工場閉さなど，日本の工業がおとろえる（産業の空どう化）。

▲ 安い工業製品の輸入増加のえいきょう

Q. 19

難 易 度 ★ ★

近年, 新聞の発行部数が減っているのは何がふきゅうしたため？

ヒント

テレビや新聞の情報は別の方法で世の中に広がることがある。それは何かな？

万部

6000

5000

4000

3000

2000

1000

0

1980　1990　2000　2010　2020年

（「日本国勢図会」2021/22年版）

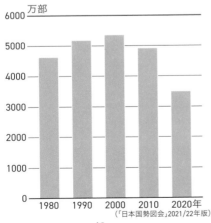

フムフム…

こっちもすごいよ

▲ 新聞の発行部数の移り変わり

インターネットがふきゅうしたから。

インターネットのふきゅうによって, 近年はパソコンやスマートフォン, タブレットなどの情報通信機器を使って, テレビや新聞以外からニュースを簡単に入手できるようになった。このような状きょうから新聞各社は, 電子版の新聞でのニュース発信に力を入れてきている。

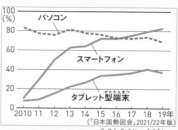

▲ 主な情報通信機器の保有世帯の割合

2021年現在, インターネットは日本の人口の約90％の人々が利用しているぞ。

あわせて確認 ［さまざまなメディアとメディアリテラシー］

 インターネットは急速にふきゅうしたんだね。今はあたり前だけど。

 そうだな。情報を伝える手段や方法をメディアといって, 主なメディアは右のとおりだ。昔は新聞がメディアの中心だったんだ。

 へ〜, いろんな種類があるんだね。

それぞれの特ちょうに合わせてメディアを利用しよう。インターネットは気軽に情報を入手できるが, 事実とちがうこともあるから注意だ。

 え!? そうなの!?

 あぁ。だから正しい情報を選んで, それを適切に活用する能力(メディアリテラシー)が大切なんだ。

・情報を映像と音声で一度に広く伝える

・音声で情報を伝える
・停電でも使える

・文字中心で情報を伝える
・切りぬいて保存できる

・文字と写真, イラストで伝える

・映像や文字で伝える
・すぐに情報を調べたり, 発信したりすることができる。

▲ さまざまなメディア テレビやラジオ, 新聞などのような, 一度に多くの人に同じ情報を伝えるメディアを, とくにマスメディアという。

Q.20

難易度 ★ ★

現金がなくても, ICカードやスマートフォンで商品を買えるのはなぜ?

ヒント　現金ではない別の方法で支はらっているぞ。

A. 代金を電子マネーやクレジットカードで支はらっているから。

電子マネーはICカードやスマートフォンのアプリケーションなどを使って、現金を使わずに代金を支はらうもの。代金は主に前ばらいのものと後ばらいのものがある。近年、情報通信技術(ICT)の発達とその広がりによって、電子マネーが急速にふきゅうしている。

▲ 電子マネーでの支はらい　（朝日新聞社）

クレジットカードによる支はらいについては、154ページで解説しているよ。

あわせて確認 ［情報の活用］

お店は電子マネーで支はらわれると、何かよいことがあるの？

コンビニなどはPOSシステムやポイントカードを使って、買い物客の年れいや性別、買った商品などの情報を得ている。

それを知ってどうするの？

これらのデータを分せきして、よく売れる商品を多く仕入れたり、新商品の開発に役立てたりしているんだ。

なるほど、そういうことか。

これらの大量の情報を分せきし、人間のように考える機能をもたせたのが最近注目の人工知能(AI)だ。

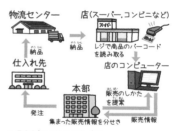

▲ POSシステムのしくみ

▲ 質問をすると答えてくれるAI

（朝日新聞社）

くわしく AIの進歩によって人間の仕事の一部が失われるという心配もある。

Q.21

難易度 ★ ★ ★

国産木材の利用を増やすことが，日本の森林を守ることにつながるのはなぜ？

ヒント
国産木材の利用を増やすことは，何を進めることにつながるかな？

A. 人工林の手入れを進めることにつながるから。

日本の森林の約40％は木材などへの利用を目的とした人工林である。人工林は間ばつをしないと、日光が十分に届かず木の成長をさまたげ、森林のはたらきを弱めてしまう。国産木材の利用が減ると、間ばつされない人工林が増えるため、森林のはたらきを弱めることになる。

| 間ばつ前 | 木の根元まで日光が当たらない |
| 間ばつ後 | 木の根元まで日光が当たる |

▲ 間ばつ前後の森林の様子

間ばつ——森林のこみあった木の一部を切り、木と木の間を広げ、木の成長をうながす作業。
人工林——木材などに使うことを目的に、人の手で植えてつくった森林。

安い外国産の木材の輸入が増えたことなどから、最近まで国産木材の消費量は減り続けていたんだ。

あわせて確認 ［日本の林業とその課題］

苗木が木材になるまでには、長〜い年月がかかるぞ。右の図を見て。

えー!? 50年もかかるの!?

日本では、林業で働く人が昔より減ってきて、高れい化も進んでいるんだ。

そうすると、間ばつが進まず森林のはたらきが弱まるってこと?

そう。だから今、林業を始めたい人や国産木材の利用を増やすためのさまざまな取り組みがなされているぞ。

例えば、どんな?

森林教室を開いたり、学校や病院を国産木材で建てたりしている。そのおかげで、林業につく人は少しずつ増えてきたんだ。

0〜2年	苗木を育てる
2〜10年	苗木を植える 下草をかる
10〜40年	枝打ち・間ばつ
40〜50年	木を切って運ぶ

▲ 苗木の育成から木を切り出すまで

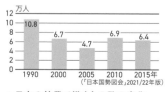

▲ 日本の林業で働く人の数の変化

（「日本国勢図会」2021/22年版）

1990: 10.8　2000: 6.7　2005: 4.7　2010: 6.9　2015年: 6.4（万人）

くわしく 森林には、二酸化炭素を吸収したり、水をたくわえたりするはたらきもある。

Q.22

難易度 ★ ★

下の写真のし設は
何のためにつくられた？

ある自然災害を防ぐためのし設だ。埼玉県の地下につくられた。

▲ 首都圏外郭放水路

(Cynet Photo)

A. こう水を防ぐため。

写真のし設は, 首都圏外郭放水路という, こう水を防ぐための世界最大級の地下放水路である。川があふれそうになったとき, 川の水を一時的に放水路に取りこみ, 水量にゆとりのある周辺の川へと流し, 川のはんらんを防ぐことができる。

▲ 台風によるこう水被害(神奈川県川崎市。2019年) (アフロ)

都市部のアスファルトやコンクリートの地面は地中に水がしみこみにくいため, こう水が起こりやすくなっている。

あわせて確認 [日本で起こりやすい自然災害とその対策]

 日本ではほかにどのような自然災害が多いの？

 地震や津波, 大雨による土石流, 雪の多い地域ではなだれ, 火山の噴火などが起こっているぞ。

 日本は自然災害が多い国なのか。何か対策をしないと！

 地震に対しては, 耐震工事をしたり緊急地震速報などを出したりしている。また, ハザードマップも作成している。

 ハザードマップ？　何かの地図？

 こう水や津波などの自然災害による被害を予想し, ひ難場所やひ難経路などを示した地図さ。

 日ごろからの準備が大切だね。

(Cynet Photo)

▲ 津波ひ難タワー ——全国に400基以上建設されている。

(アフロ)

▲ 砂防ダム —— 土砂の流出を防ぐし設。

▲ こう水のハザードマップ(東京都東部) (葛飾区提供)

くわしく 災害を防ぐ防災のほか, 被害を少なくする減災の取り組みも進んでいる。

【環境を守るわたしたち】

Q.23

難易度 ★★

60〜70年ほど昔,高度経済成長が続くにつれ,人々の健康被害がひどくなったのはなぜ?

ヒント 工業生産の際には,よごれた水や空気をはい出することがある。

A. 水や空気のよごれなどの公害が広がったから。

1950年代後半から1973年まで続いた高度経済成長の時代には，工場でさかんに工業製品が生産され，人々の生活は豊かになった。しかし，工場から有害なはい水やけむりが出て，全国各地で水質汚濁や大気汚染などの公害が発生し，多くの健康被害が出た。

（毎日新聞社）

▲ 白くにごった田子の浦港（静岡県富士市。1970年）

公害のうち，とくに大きな被害を出した水俣病，新潟水俣病，イタイイタイ病，四日市ぜんそくを四大公害病という。

あわせて確認 ［四大公害病］

 四大公害病は何が原因だったの？

はい水やけむりにふくまれる有害物質さ。当時，経済発展を優先して，国や会社が公害への十分な対策をとらなかったために被害が拡大してしまった。

 国は公害に対して，何もしてくれなかったの？

 国は公害対策基本法を定めるなどして対策を進めた。このころから公害の被害者が会社を相手に裁判を始めたんだ。

 裁判の結果はどうだったの？

四大公害病のすべてで被害者側が勝利し，会社側が被害者を救済することになったぞ。

（毎日新聞社）

▲ 登校する四日市市の児童(1965年)

公害対策基本法——1967年に制定された公害対策の基本を定めた法律。公害防止のために会社や国が取り組むべきことなどを定めた。

公害病	地域
水俣病	熊本県，鹿児島県の八代海
イタイイタイ病	富山県神通川下流域
四日市ぜんそく	三重県四日市市
新潟水俣病	新潟県阿賀野川下流域

▲ 四大公害病と発生した地域

◆くわしく◆ 水俣病に関するかん者の認定や補償を求める裁判は現在も続いている。

【身近な地域の調査】

Q.24

難易度 ★★★

下の図の**ア～ウ**の登山道のうち,**ウ**がいちばん楽に登れるのはなぜ？

ヒント

地図中に引かれている線は,同じ標高（海面からの高さ）を結んだものだ。

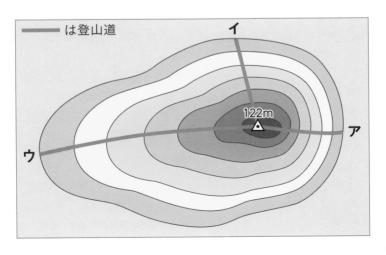

――― は登山道

イ

ア

ウ

122m

A. ウの登山道がいちばんけいしゃがゆるやかだから。

同じ標高（海面からの高さ）の地点を結んだ線を等高線という。この等高線の間かくが広いほどけいしゃがゆるやかで, 間かくがせまいほど, けいしゃが急である。よって, **ア〜ウ**の登山道のうち, 最も等高線の間かくが広い**ウ**が, いちばんけいしゃがゆるやかで楽に登れる。

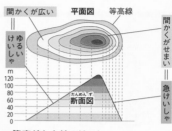

▲ 等高線と土地のけいしゃ

等高線から, 土地の高さや土地のけいしゃのほか, 尾根（山の高いところの連なり）と谷も読み取ることができる。

あわせて確認 ［地形図から読み取れる情報］

 地形図からは, 土地のけいしゃのほかにどのようなことがわかるの？

 いろんなことがわかる。まずは実際の距離。実際の距離は地形図上の長さ×縮尺の分母で求められる。例えば, 5万分の1の地形図で1cmなら, 1（cm）×50000＝50000cmで500mだ。

 地形図からそんなこともわかるのか！そのほかにもあるの？

 昔と今の地形図を比べることで, その地域の土地利用の変化もわかる。

 右の地形図を見ると, 現在の住宅地は昔はくわ畑（Y）だったことがわかるね。

お, すごいな。

縮尺── 実際の距離を縮めた割合。

（2万5千分の1「原町田」）

▲ 昔の東京都町田市の様子

（2万5千分の1「原町田」）

▲ 現在の東京都町田市の様子

くわしく 地形図は国土交通省の国土地理院が発行している。

Q. 25

難易度 ★ ★

日本で夜に始まった
サッカーの試合（しあい）が,
フランスでは昼に
始まるのはなぜ？

ヒント　**地球の自転によって何が生じるかな？**

A. 地球が自転しているため，日本とフランスに時差があるから。

地球は，1日（24時間）で左回りに1回転（360度回転）する。これによって，経度15度で1時間の時刻のずれが生じる。これを時差という。時刻の基準となる経線が，日本は東経135度，フランスは東経15度で，この経度の差から両国には8時間の時差があることになる。

▲ **日本とフランスの時刻**——日本の標準時子午線は兵庫県明石市を通る東経135度の経線。

国や地域の時刻の基準となる経線を標準時子午線といい，各国はそれに合わせた時刻を標準時としている。

あわせて確認 ［時差の求め方］

 時差は経度差÷15で求めるぞ。

日本とフランスの場合だと，135（度）－15（度）で経度差は120度ってことか。

 そのとおり！ じゃあ，右の東京とニューヨークの経度差はどうなる？

135－75で，経度差は60度！

 残念…！ 標準時子午線が東経と西経に分かれている場合は，引くんじゃなくて足すのさ。下の図を見てみよう。

 そうなのか。14時間の時差があることはわかったけど，東京のほうが14時間早いの？ それともおそいの？

 図に示した日付変更線（日付を調整する線）の西側の方が時刻が早いから，東京が14時間早い。

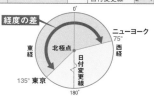

▲ **東京とニューヨーク（アメリカ）の経度差**

標準時子午線が東経と西経で表される都市間の時差の求め方
（例）東京とニューヨークの場合
手順①経度差…135度＋75度＝210度
手順②時差…210度÷15度＝14時間

  日付変更線は180度の経線付近に引かれている。西から東にこえるときは日付を1日おくらせる。

Q. 26

難易度 ★ ★

日本で二酸化炭素を出さない太陽光発電や風力発電の利用が進まないのはなぜ？

ヒント
太陽光発電や風力発電の短所を考えよう。

ア
電力を安定して供給することが難しいから。

イ
発電所の建設に広い土地が必要だから。

ウ
国際社会のきまりで，発電量の上限が決まっているから。

A. ア 電力を安定して供給することが難しいから。

地球温暖化が進む中，その原因とされる温室効果ガスの二酸化炭素をほとんど出さない太陽光発電や風力発電などが注目されている。しかし，これらの発電は気象条件によって発電量が大きく異なり，発電費用も高いため，太陽光や風力発電だけで電力をまかなうことは難しい。

▲ 太陽光発電

▲ 風力発電

（2点ともピクスタ）

太陽光や風力，地熱（地中から得た蒸気を利用）などのくり返し使うことができるエネルギーを再生可能エネルギーという。

あわせて確認 ［日本のエネルギー事情］

でも，発電のときに，二酸化炭素が多く出る火力発電にたよるのは問題なんじゃない？

そう。右のグラフを見て。今後は火力発電を減らしていく予定だよ。

原子力発電を増やしてだいじょうぶなの？

事故が起こると被害は大きいが，二酸化炭素を出さず，安定して電力を供給できる点が長所だ。

そっかぁ。どの発電方法にも長所と短所があるんだね。

電力を安定して供給することと，地球環境への配りょを両立させるのはなかなか難しいのだ。

2019年度　火力 81.7%　　再生可能エネルギー 3.1　水力 8.9　原子力 6.3　その他

2030年度目標　火力 41%　※再生可能エネルギー 36〜38　原子力 20〜22

※水力をふくむ
（「日本国勢図会」2021/22年版，資源エネルギー庁資料）

▲ 日本の発電方法別発電量の割合と将来目標 —— 現在は火力発電が中心となっている。

発電	長所	短所
火力	電力の供給が安定	・二酸化炭素を多く出す
原子力	電力の供給が安定	・事故の被害が大きい ・放射性はいき物の処理が難しい
太陽光，風力	二酸化炭素を出さない	・電力の供給が不安定 ・発電費用が高い

▲ 主な発電方法の長所と短所

くわしく ドイツでは再生可能エネルギーの発電量の割合が2割をこえている。（2018年）

実力がついたかどうか，試してみよう。

［地理］ 確認テスト

●100点満点
●答えは165ページ

1 次の各問いに答えなさい。

――――――――――――――――――――――――――――――――― (7点×3)

(1) 右の地図記号で表されるものを，次の**ア～エ**から1つ選び，
記号で答えなさい。　〔　　　〕
ア 消防署　**イ** 交番　**ウ** 小・中学校　**エ** 病院

(2) 森林は雨水をたくわえるはたらきがあることから，何とよばれていますか。
〔　　　　　　　　〕

(3) 3 Rのうち，ごみを資源に戻して再び使えるようにすることを，何といいます
か。カタカナで書きなさい。　〔　　　　　　　　〕

2 日本の国土について，次の各問いに答えなさい。

――――――――――――――――――――――――――――――――― ((4)は9点，ほかは7点×3)

(1) 地図中の**A**は択捉島，国後
島，色丹島，歯舞群島で構成
されている日本固有の領土
ですが，現在ロシアとの間で
領土をめぐる問題がありま
す。**A**の地域を何といいます
か。

〔　　　　　　　〕

(2) 地図中の**B**は，日本列島を
構成する大きな島の一つで
す。**B**の島を何といいます
か。　〔　　　　　　　〕

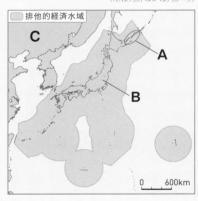

排他的経済水域

(3) 地図中の**C**の国の名前を，次の**ア～エ**から1つ選び，記号で答えなさ
い。　〔　　　〕
ア 韓国　**イ** 中国　**ウ** インド　**エ** フィリピン

(4) 地図中の◯◯で示した排他的経済水域(200海里水域)とはどのような水
域ですか。簡単に答えなさい。
〔　　　　　　　　　　　　　　　　　　　　　　　　　　〕

3 右の地図を見て,次の各問いに答えなさい。

―――――――――――――――――――――――(7点×4)

(1)地図中の宮城県の沿岸部には,ある自然災害による被害を防ぐために,下の写真のようなし設が建設されています。その自然災害は何ですか。〔　　　　　　　　〕

(Cynet Photo)

新潟県

宮城県

群馬県

愛知県

三重県

(2)地図中の新潟県が位置する日本海側は,ある風の影響で冬に雨や雪が多く降ります。この風を何といいますか。〔　　　　　　　　〕

(3)地図中の群馬県の嬬恋村では,夏でもすずしい気候をいかして,ある農作物のさいばいがさかんです。この農作物を,次の**ア〜エ**から１つ選び,記号で答えなさい。〔　　　　　　　　〕

ア さとうきび　**イ** いちご　**ウ** ピーマン　**エ** キャベツ

(4)地図中の愛知県や三重県の海ぞいを中心に形成されている工業地帯を何といいますか。〔　　　　　　　　〕

4 次の各問いに答えなさい。

―――――――――――――――――((3)は両方できて得点。7点×3)

(1)多くの情報の中から正しい情報を選んで,その情報を適切に活用する能力を何といいますか。〔　　　　　　　　〕

(2)自然災害による被害を予想し,ひ難場所やひ難経路などを示した地図を何といいますか。〔　　　　　　　　〕

(3)太陽光発電の長所と短所を,次の**ア〜エ**からそれぞれ選び,記号で答えなさい。　　　　　　　　長所〔　　　〕　短所〔　　　〕

ア 電力を安定して供給できる。

イ 発電時に二酸化炭素を出さない。　**ウ** 発電費用が高い。

エ 大事故が起こると,放射性物質が放出されるおそれがある。

Q. 27 119番に電話をかけると, すぐに消防車や救急車が来るのはどうして?

Q. 28 濃尾平野に輪中がつくられたのはなぜ?

(東阪航空サービス／PPS通信社)

▲ **輪中**…まわりをてい防で囲んだ土地のこと。

Q. 29 本州で雨が多い6〜7月に, 札幌(北海道)で雨が少ないのはなぜ?

 6〜7月の雨の多い時期を何というかな?

Q. 30 大都市の中心部の気温が周辺の地域よりも高くなるのはなぜ?

Q. 31 中京工業地帯の豊田市を中心に, 自動車の生産がさかんになったのはなぜ?

 ある工業の技術が土台となったんだ。

A. 27　通信指令室が消防署や病院などのさまざまな機関に連らくしているから。

▲ 火事の連らくのしくみ

A. 28　こう水に備えるため。

● 濃尾平野の木曽川・長良川・揖斐川に囲まれた低地では,昔からこう水の被害が多かった。そのため,周囲をてい防で囲んだり,輪中の内側に水がたまる前に川に流し出す排水し設(排水機場)をつくったりして,こう水の被害を防いだ。

A. 29　北海道にはつゆがないから。

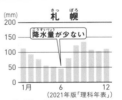

▲ 札幌の月別降水量

A. 30　ヒートアイランド現象が起こっているから。

● エアコンや自動車から排出される熱のほか,熱を吸収しないアスファルトやコンクリートにおおわれた地面の増加などが要因で起こる。

A. 31　せんい工業の技術が自動車の生産の土台になったから。

● 現在,自動車の生産がさかんな愛知県豊田市とその周辺では,かつてせんい工業がさかんだった。
● 織物の機械をつくる技術をいかして,自動車の生産を始めた。

Q.32
内陸部にも工業地域が広がる
ようになったのはなぜ？

原料や製品の輸送にはどんな輸送手段を使う？

Q.33
近年，東京都や大阪府の面積が
大きくなっているのはなぜ？

どちらも○○に面しているぞ。

Q.34
九州に地熱発電所が多いのは
なぜ？

地熱発電は九州に多い○○を利用している。

Q.35
製品をつくる高い技術力はあるもの
の，製品の原料がとぼしい日本は，
どのような貿易で発展した？

Q.36
日本で地震が多いのは，日本列島が
どのような場所に位置している
から？

A. **32** 高速道路が整備され，原料や製品のトラック輸送が便利になったから。

● 東北自動車道や関越自動車道などの高速道路が開通したことで，群馬県・栃木県・埼玉県にまたがって，内陸型の関東内陸工業地域が形成された。

A. **33** 臨海部のうめ立てが行われているから。

● うめ立て地は，工場用地や商業用地などに使われている。

	1980年	2020年
東京都	2156km²	2194km²
大阪府	1864km²	1905km²

（『県勢』2022年版）

▲ 東京都と大阪府の面積の変化

A. **34** 火山が多いから。

● 九州には多くの火山がある。地熱発電は，その火山の地下にある高温の熱水や蒸気を利用して発電する。

A. **35** 原料を輸入して製品を輸出する加工貿易で発展した。

● かつて日本は，石油や石炭などの工業の原料を輸入し，国内で生産した製品を輸出する加工貿易で発展してきた。
● 現在は海外生産や製品の輸入がふえ，加工貿易の形がくずれている。

A. **36** 複数のプレートがぶつかり合う場所に位置しているから。

▲ 日本列島とプレート

歴史

歴史分野について、
小学6年の学習内容と、
中学入試で問われるレベルの
問題をあつかっています。

今度は何を
勉強するの？

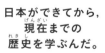

日本ができてから，
現在までの
歴史を学ぶんだ。

【狩りや漁のくらし】

Q.01

難易度 ★ ★

なぜ, 縄文時代と よばれるの？

ヒント

このころに使われていた土器は, どんなもの だったかな？

A. 縄目の文様がついた縄文土器を使っていたから。

今から約1万2000年前から約2300年前までを縄文時代という。人々は, 狩りや漁, 木の実の採集を行い, 食べ物のにたきや保存に縄文土器を使っていた。土器の発明で食べられるものが増えた。縄文土器の表面には, 縄を転がしたような文様がついているものが多い。

縄目の文様がついている。

▲ 縄文土器

（國學院大學博物館）

縄文時代の人々は, 動物の骨や角, 石や木を割ったりけずったりして, 生活に必要な道具をつくっていたぞ。

あわせて確認 ［縄文時代のくらし］

 縄文時代の人々は何を食べていたの?

しかなどの動物, 魚や貝, 木の実や山菜などをとって食べていた。

 食べ物がとれないときはつらいね。

あぁ。そこで豊かなめぐみをいのって土偶がつくられていたと考えられている。

 特ちょうのある見た目だね。このころの家はどんな感じだったの?

地面を浅くほってつくったたて穴住居に住んでいたぞ。むらの近くには, 食べ終わった貝がらや動物の骨などを捨てた貝塚ができた。

 なんでそんな昔のことがわかるの?

遺跡があるからだ。縄文時代の遺跡では青森県の三内丸山遺跡が有名だ。

(colBase)

▲ 土偶 ── 土でできた人形。

たて穴住居 ── 屋根は草などでふいてつくり, 家族4〜5人で住んでいたと考えられている。

(三内丸山遺跡)

▲ 三内丸山遺跡(復元) ── 約5500〜4000年前ごろの集落の遺跡。

くわしく 貝塚からは土器のかけらや人の骨なども発見され, 当時のくらしがわかる。

Q.02

難易度 ★ ★

弥生時代,
集落をほりやさくで
囲むようになったのは
なぜ?

ヒント

**ほりやさくで囲ったのは戦いに備えるため。
では,なぜ戦いが起こるようになったのか?**

▲ 復元された吉野ヶ里遺跡(佐賀県)——1〜3世紀ごろの弥生時代後期の大集落の遺跡。

(九州観光推進機構)

A. 米づくりが始まり, 食料や土地, 水などをめぐって戦いが起こるようになったから。

弥生時代には米づくりがさかんになって, 食料を安定して手に入れられるようになり, むらの人口が増えた。すると, 食料や種もみ, 田や水などをめぐって, ほかのむらと戦いが起こるようになった。そこで, むらの人々は, 戦いに備えて, 集落のまわりをほりやさくで囲んだ。

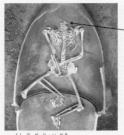

頭の骨がない。戦いで死んだ人の骨だと考えられる。

▲ 吉野ヶ里遺跡で見つかった
人骨　　　　　（佐賀県提供）

むらには指導者が現れ, 戦いのときは指揮をとったぞ。ほかのむらを従えて, 地域の支配者（豪族）となる者もいた。

あわせて確認　［米づくりの広まりとむらの変化］

 米づくりはいつごろ始まったの？

今から約2500年前だ。

 この時代, ほかに何か変わった？

うすくてかたい弥生土器が使われるようになったぞ。弥生土器が使われた時代が弥生時代だ。石包丁などの農具, 鉄器や青銅器も使われ始めた。

 戦いも起こったんだね…。

あぁ。戦いに勝ったむらは, まわりのむらを従えて, くにとなった。そして, くにどうしも戦ったのだ。

 とくに大きなくにはあったのかな？

3世紀に栄えた邪馬台国が有名だぞ。卑弥呼という女性の王が, 30ほどのくにを従えていたそうだ。

（東京大学総合研究博物館）

▲ 弥生土器…弥生町（今の東京都文京区弥生）で初めて見つかったことから名がついた。

稲の穂をかり取る

▲ 石包丁の使い方
卑弥呼 —— 女性の召使いが1000人いて, また, よくうらないをし, 不思議な力をもっていたと伝わる。

【聖徳太子の政治】

Q.03

難易度 ★ ★

冠の色で役人の位を示す
冠位十二階は，
何のために定められた？

ヒント

役人を取り立てるときに何を基準としたかを考えてみるのだ。

いろんな色の冠があるなぁ

これくださ～い

鼻水出てるからムラサキはダメ

へ？

A. 家がらにとらわれず,能力のある人を 役人に取り立てるため。

冠位十二階は聖徳太子(厩戸王,厩戸皇子)が定めた制度で,中国や朝鮮にあったしくみをもとにしたといわれている。6世紀の末に天皇の政治を助ける地位についた聖徳太子は,当時の朝廷で大きな力をもっていた豪族の蘇我氏といっしょに,天皇中心の新しい国づくりを進めた。

 大徳（紫） **大信**
小徳 **小信**
 大仁（青） **大義**（白）
小仁 **小義**
 大礼（赤） **大智**（黒）
小礼 **小智**

▲ **冠位十二階**——位が高いほうから,紫→青→赤→黄→白→黒の順。

当時の日本は豪族どうしが激しく争い,天皇は豪族たちをうまく従えられないでいた。聖徳太子はそれを変えようとしたんだ。

あわせて確認 ［聖徳太子の政治］

 聖徳太子はさまざまなことを行った。例えば,**十七条の憲法**の制定だ。

 え!? このころにもう憲法が?

 いや,今の憲法とちがって,役人の心構えを示したものだ。さらに中国(隋)に使者を送った。**遣隋使**というぞ。

 海外旅行なんてうらやましい!

 遊びに行ったわけではない。進んだ政治のしくみや文化,学問を取り入れるためだ。

 な〜んだ。勉強のためか…。

 聖徳太子は今の奈良県に**法隆寺**を建てて,仏教の教えをみんなに広めようともしたぞ。仏教を新しい国づくりのよりどころにしたんだ。

第1条	人の和を大切にしなさい。
第2条	仏教をあつく信仰しなさい。
第3条	天皇の命令は,必ず守りなさい。

▲ **十七条の憲法（一部）**

遣隋使——607年に小野妹子らが送られた。当時の隋は,皇帝中心の政治のしくみが整い,文化も発展していた。

▲ **法隆寺**…現存する世界最古の木造建築。
（学研資料課）

Q.04

難易度 ★★

中大兄皇子や中臣鎌足が
大化の改新を始めた
目的は？

聖徳太子の死後,蘇我氏の勢力は天皇を
しのぐほど大きくなっていたぞ。

A. 天皇中心の政治を実現するため。

朝廷では，権力を独占する蘇我氏に対して不満が高まっていた。そのようすをみた，**中大兄皇子**(のちの天智天皇)と**中臣鎌足**(のちの藤原鎌足)は，645年に蘇我氏(蘇我蝦夷・入鹿の親子)をたおし，天皇中心の新しい国づくりを始めた。この政治改革を**大化の改新**という。

天皇中心の国づくりのためだ！

土地と人民は国のもの！

中大兄皇子

大化の改新には，中国（唐）から帰国した留学生や留学僧らも協力したぞ。

あわせて確認 ［大化の改新と本格的な都］

 改革ってどんなことをしたの？

豪族が支配していた土地と人民をすべて国のものとした。また，現代に続く年号(元号)も初めて制定したぞ。

 ネンゴウ？ 今だと令和？

そのとおり。7世紀の終わりには，日本初の本格的な都である藤原京を飛鳥(奈良県)につくった。

 都はずっと同じとこ？

いや，710年に都は**平城京**(奈良県)に移った。平城京は中国の唐の都(長安)にならってつくられたぞ。天皇を中心に，天皇の一族や**貴族**が政治を進めた。こうしてそれまでの**飛鳥時代**が終わり，**奈良時代**が始まった。

飛鳥時代 —— 聖徳太子のころから平城京ができるまで時代。
奈良時代 —— 奈良の平城京に都が置かれた時代。
貴族 —— 天皇から高い位をあたえられて特権をもった有力な豪族。

▲ **平城京**(復元模型)…東西南北に道路がのび，碁盤の目のように区切られていた。

(奈良市役所)

Q.05

難易度 ★ ★

東大寺の大仏は、
何のためにつくられた？

ヒント

当時は伝染病やききんで多くの人々が亡くなり、
各地で反乱が起こって世の中が混乱していた。

（東大寺／撮影：飛鳥園）

[大仏をつくった目的]

A. 仏教の力で人々の不安をしずめ、国を治めるため。

奈良時代、仏教をあつく信仰していた聖武天皇は、仏教の力で人々の不安をしずめ、国を治めようと考え、国ごとに国分寺を建てることを命じた。さらに、都の平城京には国分寺の中心となる東大寺を建てて、金銅の大仏をつくらせた。また、仏教の正しい教えを広めるために中国から僧の鑑真を招いた。

▲ 大仏づくりのようす

 大仏づくりのために全国から多くの農民や物資が集められた。のべ260万人以上の人々が働き、9年後に完成したぞ。

あわせて確認 [大仏づくりと大陸の文化]

 たくさんの人々が働いたんだね。

 あぁ。当時、人々からしたわれていた僧の行基の協力が大きかった。大陸からやってきた渡来人の子孫がもつ優れた技術もいかされたぞ。

 大陸のほうが進んでいたんだね。

 そうだ。遣唐使などの行き来を通じて大陸の文化が日本に伝わった。

 交流がわかるものは残っているの?

東大寺の正倉院には、インドが起源の楽器のびわや、西アジア産のガラスのコップなどの宝物が収められたぞ。

 そんな遠くのものまで!?

 大陸の影響を受けた、中国(唐)風の文化が栄えたことがわかる。

行基——民衆に仏教の教えを広めるとともに、橋や道、ため池などをつくる土木工事を行い、人々にしたわれた。

遣唐使——7世紀から9世紀、中国(唐)の進んだ政治のしくみや文化を学ぶために派遣された使節。

(正倉院正倉)

▲ 正倉院——大仏の開眼式で使われた道具や聖武天皇の愛用品が収められていた。

参考 シルクロード(絹の道)

中国と西アジアや地中海地域を結ぶ交通路をシルクロードという。この道を通り、西アジアなどの宝物が唐の都に集まった。

くわしく 鑑真は、何度も渡航に失敗して目が見えなくなりながらも来日した。

Q. 06

難易度 ★ ★ ★

奈良時代，税を
地方から都に運ぶとき，
行きと帰りの日数に
ちがいがあったのはなぜ？

ヒント 帰りの日数は，行きの日数のおよそ半分だったこ
ともあるとか。

A. 地方から都までは税の特産物などを運ぶのに対し，帰りは荷物が少ないから。

8世紀の初め，中国にならって国を治めるための法律（律令）がつくられ，人々は租・調・庸という税を納めることになった。とくに調・庸は都まで自分たちで運ばなければならず，大きな負担だった。税は戸籍に登録された性別や年れいにもとづいて課せられた。

租	収穫高の約3%の稲
調	織物や海産物などの地方の特産物
庸	都で働く代わりの布

▲ 農民に課せられた税

上の表で女性に課せられた税は租のみ。そのため，男性を女性といつわって戸籍を申告し，税をのがれる者も現れたようだ。

あわせて確認 ［奈良・平安時代の人々のくらし］

 税として地方から都へ運ばれた特産物につけられた木簡から，当時どんなものが運ばれていたかがわかったぞ。

 わざわざ運ぶの大変だったろうね。

 うん。都に着く前に自分の食料がなくなって，うえ死にする人もいるらしい。

 命がけだったんだね…。

 上の表の税以外にも，土木工事をする雑徭，都や九州を守る兵役の負担もあった。

 いくらなんでも負担が多いよ！

 都のはなやかなくらしは地方の人々に支えられていたんだ。重い負担にたえられず，農地を捨てて豪族や大寺院のもとへにげこむ人もいたぞ。

木簡――当時は紙が貴重だったので，書類の代わりに木の札が利用された。

▲ **貴族の食事の例**――魚や貝など，農民が都まで運んだ海産物などを食べていた。

塩
青菜
玄米

▲ **庶民の食事の例**――品数は少なく質素だった。

（2点とも画像提供：奈良文化財研究所／料理復元：奥村彪生）

くわしく 東北や九州南部から奈良の都まで特産物を運ぶのに30日以上かかった。

Q.07

難易度 ★★

藤原氏が
朝廷の高い地位を
独占できたのはなぜ?

ヒント 下の藤原氏の系図をじっくりと見てみるといい。

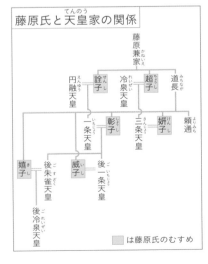

藤原氏と天皇家の関係

　は藤原氏のむすめ

A. むすめを天皇のきさきにし,その子を天皇に立てて勢力をのばしたから。

平安時代の朝廷の政治は,一部の有力な貴族が中心となって動かすようになった。中でも,中臣鎌足の子孫の藤原氏は,天皇家との結びつきを強め,大きな力をもった。とくに藤原道長は,11世紀の初めごろに天皇に代わって政治の実権をにぎるほどの存在となった。

（藤田美術館）

この世をば
わが世とぞ思ふ
もち月の
欠けたることも
なしと思へば

▲ 藤原道長と道長の歌——「この世はわたしのものだ。欠けたところがない,満月のようだ。」という意味。

貴族社会では,子は妻の実家で育てる習慣だったから,朝廷で勢力をのばすには,天皇の母方の祖父になるのが大切ってこと。

あわせて確認 ［平安時代の貴族のくらし］

 平安時代っていつごろからだっけ?

794年に,都が京都の平安京に移されてからだ。ここから約400年間を平安時代という。

 貴族はどんなくらしをしていたの?

寝殿造の広い屋しきに住み,朝廷の役所へ出向いて仕事をした。

 仕事以外は何してたのかな?

囲碁やけまりなどの遊びをしたり,琴やびわなどをひいたりしたぞ。和歌をよむことも多かった。

 なんだかユウガなくらし。

毎年決まった時期に行われる年中行事を取り行うことも,貴族にとって大事だったんだ。

寝殿

▲ 寝殿造 —— 主人が住む寝殿や広い庭などからなる。

束帯　　十二単

▲ 束帯と十二単 —— 束帯は男性の正装,十二単は宮廷での女性の正装。

和歌 —— 日本古来の詩の形式で,気持ちや季節を五音と七音で表す。

◀くわしく 貴族が行っていた年中行事には,端午の節句や七夕などがある。

【日本風の文化】

Q.08

難易度 ★ ★

ひらがなや
かたかなは,
どうやってできた?

ヒント

それまで日本で使われていた文字は,大陸から伝わった漢字だけだった。

A. ひらがなは漢字をくずして,かたかなは漢字の一部をとってつくられた。

平安時代に生まれたかな文字(ひらがな・かたかな)によって,日本語がそのまま自由に書き表せるようになった。そして,朝廷に仕える女性たちによって,かな文字を使った優れた文学作品がたくさん生まれた。

ひらがな　　　　　　かたかな

安→妾→あ	阿→ア
以→以→い	伊→イ
宇→宇→う	宇→ウ
衣→え→え	江→エ
於→お→お	於→オ

▶ 漢字からかな文字への変化

天皇のきさきに仕えた紫式部や清少納言が,かな文字の作品を書いた。紀貫之は女性のフリをして『土佐日記』を書いたぞ。

あわせて確認 [日本風の文化]

 紫式部や清少納言はどんな作品を書いたの?

 紫式部は小説の『源氏物語』,清少納言は随筆の『枕草子』が代表作だ。

 ズイヒツ?

生活や自然の変化などを,自由な形式で書いた文章だ。

 読んでみたい!

それ以外にも大和絵などの美しく,はなやかな日本風の文化(国風文化)が栄えた。

 今度は日本風になったんだ。

そう。遣唐使が停止されたころ,貴族のくらしの中から,大陸の文化をもとに,新たに日本の風土や生活に合った文化が生まれたんだ。

▲ 紫式部(左)と清少納言 —— 天皇のきさきの教育係をしていた。

（すてきな小説を書きたいわ／わたしは随筆を書くわ）

(五島美術館)

▲ 大和絵(源氏物語絵巻) ——『源氏物語』の一場面をえがいたもの。

くわしく 菅原道真は航海の危険や唐のおとろえを理由に遣唐使の停止を提案した。

【武士の登場】

Q.09

難易度 ★★

平安時代, 武士はどんな人々からうまれた？

ヒント

ある者は自分の立場を利用して富をたくわえ,
ある者は農地を切り開いて自分の領地にしたぞ。

ア　各地を回って仏教を広めた僧。

イ　地方の役人や有力な農民。

ウ　商売で大もうけをした町人。

生まれたころは元気な赤ちゃん！

みんなそうだろ

A. イ 地方の役人や有力な農民。

平安時代の中ごろから, 地方に派遣された役人や, 地方の有力な農民などが領地を守るために武芸にはげみ, 武士となった。武士は一族のかしらを中心に小さな武士団をつくり, やがて小さな武士団がまとまって大きな武士団となった。その中でも勢いが強かったのが源氏と平氏である。

（東京国立博物館）

▲ 平治の乱—— 源氏と平氏の勢力争いなどから起こった戦い。

源氏は東日本, 平氏は西日本で勢力をのばしていったぞ。やがて朝廷や貴族の権力争いに巻きこまれ, 両者は戦うことになる。

あわせて確認 ［源氏と平氏の戦い］

平治の乱で源氏に勝った平氏は, 貴族の藤原氏に代わり朝廷で勢力をふるった。

平氏って, 例えばだれ？

中心は平清盛だ。武士で初めて太政大臣という高い地位につき, むすめを天皇のきさきにして天皇に近づき, 平氏一族で重要な位を独占した。

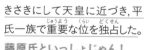藤原氏といっしょじゃん！

だから, 貴族やほかの武士の間で不満が高まった。

源氏もおこった？

あぁ。源頼朝が関東の有力武士たちとと兵を挙げ, 弟の源義経の活やくなどにより, 壇ノ浦の戦いで平氏をほろぼした。

▲ 平清盛

▲ 源氏と平氏の戦い

くわしく 源頼朝は平治の乱に敗れたあと, 伊豆（静岡県）に流されていた。

Q. 10

難易度 ★ ★

一生懸命という
言葉の由来となったのは
どれ？

ヒント　武士の間で用いられていた言葉が語源だ。
どこか一文字だけ変えて…。

ア　一歩懸命

イ　一途懸命

ウ　一刀懸命

エ　一所懸命

※オセロ・Othello は登録商標です。

A. エ 武士が命をかけて領地を守った「一所懸命」の言葉が変化した。

鎌倉幕府の将軍の家来になった武士を御家人という。将軍は御家人の領地を保護し，手がらを立てたときは新しい領地をあたえた（ご恩）。御家人は将軍に忠誠をちかい，戦いが起こると命がけで戦った（奉公）。このように将軍と御家人はご恩と奉公の関係で結ばれていた。

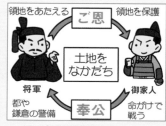

▲ ご恩と奉公の関係

「一所懸命の地（領地）」の形で用いられていたが，「命がけのこと」の意味で広く使われるようになり，「一生懸命」に変化したそうだ。

あわせて確認　［鎌倉幕府の政治］

鎌倉幕府を開いたのは…。

源頼朝だ。全国に守護と地頭を置いて御家人を任命し，1192年には自身が朝廷から征夷大将軍に任命された。

ずっと源氏の時代が続いたのかな？

ノー。源氏の将軍は3代で絶えた。その後は執権の北条氏が政治を行ったぞ。いっぽう，朝廷は幕府をたおそうと兵をあげたが敗れた（承久の乱）。この後，幕府は御成敗式目という武士の法律を定めて支配を強めたんだ。

これで幕府も安心かな。

いや，それが13世紀後半には，中国の元が日本にせめてきたんだ（元寇）。このときも御家人は命がけで戦った。

守護・地頭 —— 守護は国ごとに置かれ，軍事・警察の仕事をした。地頭は荘園で年貢の取り立てなどをした。
征夷大将軍 —— 頼朝の任命以降は，武士の最高の地位を指す。

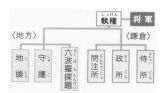

▲ 鎌倉幕府のしくみ —— 執権は将軍を助ける役職。六波羅探題は朝廷の監視などを行う。

御成敗式目 —— 公正な裁判の基準を示した，武士社会の最初の法律。
元寇 —— 九州北部にせめてきた元軍の集団戦法と火薬兵器に，御家人たちは苦戦しながら戦った。暴風雨もあり，元軍は大陸に引きあげた。

　くわしく　承久の乱で頼朝の妻の北条政子は，頼朝のご恩を説き御家人を団結させた。

【鎌倉時代の新しい仏教】

Q.11

難易度 ★ ★ ★

かまくら
鎌倉時代に開かれた
ぶっきょう
新しい仏教によって，
どんな人々に仏教の
しんこう
信仰が広がった？

ヒント　鎌倉時代になってどんな人たちが力をつけて
きたかを考えてみるんだ。

A. それまで仏教は天皇や貴族が信仰していたが,武士や民衆にも信仰が広がった。

鎌倉時代には,念仏を唱えればだれでも苦しみのない極楽浄土に生まれ変われるとする浄土宗や浄土真宗,南無妙法蓮華経という題目を唱えれば人も国家も救われるとする日蓮宗などのわかりやすく,信仰しやすい仏教が武士や民衆の間に広まった。中国の宋から伝えられた禅宗は幕府の保護を受けた。

武士や民衆が見物していることがわかる。

(東京国立博物館)

▲ 一遍の踊念仏——念仏を唱えながら足をふみ鳴らして踊り,人々に念仏信仰をすすめた。

鎌倉時代には,自然災害やききん,戦いが続いたため,人々は心のよりどころとして仏教に救いを求めるようになったんだ。

あわせて確認 ［鎌倉時代の新しい仏教］

それまではどんな仏教だったの?

平安時代には,厳しい修行を重んじる天台宗と真言宗が開かれた。

禅宗ってどんなの?

座禅により自分の力でさとりを開くんだ。主に武士に受け入れられた。

天台宗——比叡山に延暦寺を建てた最澄が伝えた仏教の宗派。

真言宗——高野山に金剛峯寺を建てた空海が伝えた仏教の宗派。

禅宗——宋で栄えた仏教の一派。命がけで戦う武士にとって,座禅は心を落ち着かせるのに適していた。

宗派		開祖	教え・特色		主な信者
念仏宗	浄土宗	法然	念仏を唱え,阿弥陀仏にすがれば,極楽浄土に生まれ変われる。	新しい仏教の先がけ。	貴族・武士,民衆
	浄土真宗(一向宗)	親鸞		悪人こそ救われる。	地方武士,民衆
	時宗	一遍		踊念仏や念仏札で布教。	地方武士,民衆
日蓮宗(法華宗)		日蓮	題目を唱えれば人も国家も救われる。幕府や他宗を激しく非難した。		関東の武士,商工業者
禅宗	臨済宗	栄西	宋から伝わる。座禅を行い,自力でさとりを開く。	幕府の保護を受ける。	貴族,幕府の有力者
	曹洞宗	道元		権力をきらう。	北陸を中心とする地方武士

▲ 鎌倉時代の新しい仏教の宗派と教え——親鸞は法然の弟子。

Q. **12**

難易度 ★ ★

豊臣秀吉が
刀狩を行ったのは
なぜ?

ヒント

支配者に不満のある百姓は,武器を持って
何をするおそれがあるだろう?

[豊臣秀吉が刀狩を行った理由]

A. 百姓が武器を持って一揆をおこすのを防ぐため。

豊臣秀吉は, 百姓たちから刀ややり, 鉄砲などの武器を取り上げる刀狩を行うことで, 百姓の一揆を防ぎ, 百姓を農業などに専念させ, 年貢の取り立てを確実なものにした。

百姓が刀・弓・やり, 鉄砲などの武器を持つことをかたく禁止する。武器をたくわえ, 年貢を納めず, 一揆をくわだてる者は罰する。

▲ 秀吉が出した刀狩令（一部要約）

刀狩の表向きの理由は, 新しい大仏をつくるくぎなどにするためで, 百姓たちはこの世でもあの世でも救われるとされた。

あわせて確認 ［豊臣秀吉の政治］

当時の百姓は武器を持っていたの？

そうだ。このころは武士と百姓の身分のちがいがはっきりしていなかった。そこで秀吉は, 刀狩や検地を行った。

ケンチって何？

全国の田畑の面積や土地のよしあし, 耕作者などを調べ, 記録したんだ。

めんどくさいね…。

年貢を確実に取り立てるためだ。耕作者に田畑を耕す権利を認めたが, 決められた年貢を納める義務も課した。

百姓はうれしいやら悲しいやら…。

ほかにも武士と町人を城下町, 百姓を村に住まわせ, ほかの身分になることを禁止した。こうして, 身分の区別がはっきりしたことを兵農分離といって, 武士が支配する社会のしくみが固まり始めたんだ。

（尚古集成館）
（芥田家蔵／画像：姫路市提供）

▲ 検地に使われたものさしとます
—— 秀吉は検地を行うにあたって, 基準がばらばらだったものさしや, 年貢米をはかるますを統一した。

▲ 検地のようす（想像図）

くわしく 織田信長に仕えた秀吉は, 信長の統一事業を引きつぎ全国を統一した。

Q.13

難易度 ★ ★

外様大名が
江戸から遠いところに
配置されたのはなぜ？

ヒント

外様大名は，関ヶ原の戦いのあとに徳川家に従った大名だ。そこから考えてみるのだ。

凡例：
- 50万石以上
- 30〜50万石未満
- 10〜30万石未満
- 親藩
- 譜代
- 外様

前田
松平（福井）
伊達
黒田
徳川（水戸）
江戸
細川
徳川（名古屋）
島津
徳川（和歌山）

0 ── 200km

▲ 江戸時代の主な大名の配置（1664年ごろ）

093

A. 幕府への反乱を防ぎ, たがいの動きを監視させるため。

江戸幕府を開いた徳川家康は, 全国の大名を親藩(徳川家の親せき), 譜代(古くからの徳川家の家来), 外様(関ヶ原の戦いのあとに徳川家に従った大名)に分けて, 石高の多い外様大名を江戸から遠いところに配置した。また, 武家諸法度というきまりを定めて, 全国の大名を取りしまった。

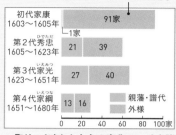

外様大名がたくさん取りつぶされていることがわかる。

	親藩・譜代	外様
初代家康 1603〜1605年	91家	
第2代秀忠 1605〜1623年	21	39
第3代家光 1623〜1651年	27	40
第4代家綱 1651〜1680年	13	16

▲ 取りつぶされた大名の変化 —— 武家諸法度に反した大名の多くは取りつぶされた。

武家諸法度は家康の命令で作成され, 第2代将軍徳川秀忠の名前で出されたのが最初だ。その後将軍が代わるたびに出された。

あわせて確認 [武家諸法度と幕藩体制]

 武家諸法度ってどんな内容?

 右の資料を見るんだ。参勤交代の制度は, 第3代将軍徳川家光のときに追加された。

 サンキンコウタイ?

 大名を1年おきに江戸と領地に住まわせる制度だ。大名の妻子は, 人質として江戸の屋しきでくらさせた。

 妻子が人質ってかわいそう…。

 また, 参勤交代にかかる費用は, 大名にとって大きな負担となった。

 ますます幕府に反抗できなくなるね。

 あぁ。家光のころには, 幕府と藩が全国の土地と人々を支配する幕藩体制ができあがり, 世の中が安定した。

一, 城を修理するときは届け出ること。

一, 大名の家どうしでかってに結婚しないこと。

一, 大名は, 毎年4月に参勤交代すること※。

※徳川家光のときに加えられ出したもの

▲ 武家諸法度(一部)

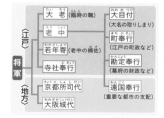

▲ 江戸幕府のしくみ —— 鎌倉幕府のしくみ(→p.88)に比べて, より整った組織になった。

くわしく 参勤交代によって江戸と各地を結ぶ街道が整備され, 宿場町もできた。

Q.14

難易度 ★ ★

江戸幕府が百姓に
五人組をつくらせたのは
なぜ？

ヒント

ほかの人にめいわくをかけられないようにし
たわけだな。

ア
武芸の訓練を
させて外国と
の戦いに備え
るため。

イ
年貢納入と犯
罪防止に共同
で責任を負わ
せるため。

A. イ

年貢納入と犯罪防止に共同で責任を負わせるため。

百姓は農業や漁業などを営んだ人々のこと。村は，名主（庄屋）などの村役人を中心に共同で運営された。江戸幕府や藩はこのしくみを利用し，5～6けんを一組とする五人組をつくらせて，年貢を納められない者や罪をおかす者に対して，共同で責任を負わせた。

一，朝早く起きて草をかり，昼は田畑を耕し，夜はなわをない，俵をあみ，油断することなく仕事にはげむこと。

一，酒や茶を買って飲まないこと。

一，食べ物を大切にして，雑穀だけを食べるようにすること。

一，着物には麻や木綿を使い，絹織物を着てはならない。　（一部要約）

▲ 江戸時代に百姓に出された法令

当時，百姓や町人は武士の生活を支える身分とされていたぞ。そして身分で仕事や住む場所，税などの負担が決められていたんだ。

あわせて確認　［江戸時代の人々のくらし］

 百姓のくらしは厳しいね…。

 めげずに農具の改良や肥料のくふう，商品作物のさいばいで豊かになろうと努力したぞ。新田開発にも力を入れた。
（現金を得るためにつくられる作物）

 百姓はどれくらいいたの？

 人口の80％以上だ。ほかに武士や町人，僧などの身分の人がいた。身分は親から子へと引きつがれたぞ。

 身分を変えたくても変えられないんだ。

 あぁ。百姓や町人とは別に，仕事や住む場所，服装などを区別され，厳しい差別を受けた人々もいた。

 武士や町人はどこに住んだの？

 城下町だ。このころ，各地に城下町や門前町，宿場町など都市が栄えた。

備中ぐわ　深く耕せる。

千歯こき　だっこくが楽になった。

▲ 改良された農具 —— 効率よく農作業ができるようになった。

	百姓や町人からも差別された人々 1.5 ┐			
百姓 85%			武士 7	町人 5

公家，僧・神官など 1.5 ┘

▲ 身分ごとの人口割合（江戸時代終わりごろ）

城下町 —— 城を中心に発達。

門前町 —— 寺や神社の周りに発達。

宿場町 —— 街道ぞいに発達。

くわしく 厳しい差別を受けた人々も役人の下働きや皮革業などで社会を支えた。

Q. **15**

難易度 ★

江戸幕府が
下の絵のような絵ふみを
行ったのはなぜ？

ヒント

右下は，絵の中の人物がふむのに使われた像で，ふみ絵とよばれる。だれの像だろうか？

（国立国会図書館）

▲ ふみ絵　　（ColBase）

［絵ふみを行った理由］

A. キリスト教の信者を発見し，取りしまるため。

江戸幕府は，神への信仰を重視するキリスト教の信者が幕府の命令に従わなくなることをおそれ，キリスト教を禁止した。しかし1637年，九州で島原・天草一揆が起こった。そこで幕府は，信者を見つけ出すためにキリストなどの像をふませる絵ふみを強化するなどキリスト教の取りしまりをさらに厳しくした。

（朝倉市秋月博物館）

▲ 島原・天草一揆──16才の天草四郎（益田時貞）をかしらにキリスト教徒の農民らが中心となって起こした一揆。

この一揆のあと幕府は，貿易相手国を，キリスト教を広める心配のないオランダと中国に制限したぞ。

あわせて確認 ［鎖国と交流の窓口］

オランダ，中国とはどこで貿易したの？
幕府の監視のもと，長崎で行った。出島や唐人屋しきがつくられたんだ。
（中国人）

幕府のしめつけがすごいね。

外国との貿易や交渉の場所を厳しく制限した幕府のこうした政策は，のちに鎖国とよばれるようになった。

ほかの国とはつながりなし？

いいや。朝鮮や琉球，蝦夷地とも貿易などの交流があった。

琉球？ 蝦夷地？

琉球は今の沖縄県で薩摩藩（鹿児島県）と交流した。蝦夷地は今の北海道で，松前藩が蝦夷地に住むアイヌの人々と交流した。朝鮮とは対馬藩（長崎県）が交流したぞ。

年代	できごと
1612	キリスト教を禁止
1624	スペイン船の来航を禁止
1635	日本人の海外との行き来を禁止
1637	島原・天草一揆
1639	ポルトガル船の来航を禁止
1641	オランダ商館を長崎の出島に移す

▲ 鎖国までの歩み

▲ 朝鮮通信使──将軍の代がわりを祝うために来日した朝鮮の使節団。
（長崎県立対馬歴史教育センター）

098　くわしく　江戸時代の初めは外国との貿易がすすめられ，キリスト教徒は増加していた。

Q.16

難易度 ★★★

江戸(えど)時代に，
江戸や大阪(おおさか)で町人文化が
発展(はってん)したのはなぜ？

ヒント

戦国大名(せんごくだいみょう)が戦いをくり広げた戦国(せんごく)時代に
比べて，江戸時代は世の中がどうなった？

A. 平和になって，世の中が安定したため。

世の中が安定した江戸時代には，各地で都市が栄えた。中でも「将軍のおひざもと」とよばれた江戸は政治の中心地，「天下の台所」とよばれた大阪は経済の中心地として多くの人でにぎわった。これらの大都市で力をつけ，文化に親しむようになった町人を中心に新しい文化が栄えた。

▲ 大阪の港のようす——蔵が並び，江戸へ送る品物を積んだ船でにぎわっている。　（大阪府立中央図書館）

17世紀末～18世紀初めにかけて京都や大阪で栄えた文化を元禄文化，19世紀前半に江戸中心に栄えた文化を化政文化という。

あわせて確認！　［江戸時代の文化と学問］

 どんな文化が栄えたの？

 歌舞伎や人形浄瑠璃だ。近松門左衛門の作品が人気を集めたぞ。（人形しばい）

 どんな作品だったんだろう。

 当時力をつけてきた町人の姿をいきいきとえがき，人々に親しまれた。

 ほかにも楽しみはあったのかな？

 世の中や人々の様子を多色刷りでえがいた浮世絵も流行したぞ。

 なんだか娯楽ばっかりだね。

 蘭学や国学などの学問も発達した。

 ランガク？ みそ味かな？

オランダ語の書物で西洋の学問を研究するのが蘭学，古くからの日本人の考え方を知ろうとするのが国学だ。

▲ 葛飾北斎がえがいた浮世絵「富嶽三十六景」　（ColBase）

（東京医科歯科大学図書館）

▲ 人体解剖図——杉田玄白らはオランダ語の医学書を翻訳して『解体新書』として出版した。

国学——本居宣長は『古事記』を研究して『古事記伝』を書き上げ，国学を発展させた。

　くわしく　江戸時代，百姓や町人の子どもは寺子屋で読み書きやそろばんを学んだ。

【江戸時代から明治時代へ】

Q. 17

難易度 ★ ★

明治時代になると，
江戸時代とは
まちのようすが変わった。
それはなぜ？

ヒント

明治時代は洋服を着た人が馬車に乗ったり，洋
がさをさしたりしているぞ。ガス灯もみられる。

（Mary Evans/PPS通信社）　　　（東京都立中央図書館特別文庫室所蔵）

▲ 江戸時代末ごろ（左）と明治時代初め（右）の日本橋近くのようす

[明治時代にまちの様子が変わった理由]

A. 江戸時代末に日本は開国し、明治時代に西洋の技術や文化を取り入れたから。

明治時代になると、西洋風のくらしや文化が積極的に取り入れられ、都市を中心に人々のくらしが変化し始めた（文明開化）。変化したのはくらしだけでなく、政府は、「学問は社会で生きていくためのもとになるべきものだ」として学制を公布し、6才以上の男女が小学校に通うことが定められた。

先生は洋服を着て、髪が短い

（東書文庫）

▲ **小学校の授業のようす**——授業料などの親の負担が重く、最初は小学校に通えない子どもが多かった。

西洋の国々に追いつこうとする動きが、くらしや文化の面に強く表れた。いっぽうで、日本の文化を軽く見る風潮もあったんだ。

あわせて確認！　[開国と江戸幕府の滅亡]

 江戸幕府はなぜ開国したの？

 アメリカの使節ペリーが大砲を備えた軍艦で来航し、開国を求めたんだ。

 幕府はビビっちゃったんだね…。

日米和親条約で開国し、さらに日米修好通商条約を結んで貿易を始めた。

 開国して何か変化があったのかな？

薩摩藩や長州藩は外国勢力を追いは
（鹿児島県）　（山口県）
らおうと戦ったが敗れてしまった。

 かなわなかったのか…。

 そこで、幕府をたおして強い国をつくろうとする動きが広がった。1867年、第15代将軍の徳川慶喜が政権を朝廷（天皇）に返して江戸幕府はほろんだんだ。

 新しい明治時代の始まりだ。

- 日米和親条約（1854年）
- ★ 日米修好通商条約（1858年）
0 ────── 300km

函館
新潟
神戸
長崎
横浜
下田

▲ **日米和親条約と日米修好通商条約の開港地**——下田は、日米修好通商条約の締結で閉鎖。

一、政治は、会議を開き、みんなの意見を聞いて決めよう。
一、みんなが心を合わせ、国の政策を行おう。
（一部要約）

▲ **五箇条の御誓文**——明治新政府が新しい政治の方針として示した。

  くわしく 福沢諭吉は『学問のすゝめ』で人は平等なことや学問の大切さを説いた。

Q.18

難易度 ★ ★

明治時代になって，江戸時代の税のかけ方を改めたのはなぜ？

ヒント　税を米で納めるのではなく，現金で納めるようにした。国にはどんな利点がある？

A. 国の収入を安定させるため。

江戸時代は収穫に応じて米などを年貢として納めていたが, 米のとれる量は年によって変わるので, 税収入が不安定だった。そこで明治新政府は, 1873年から, 土地の値段（地価）を定めて, 土地所有者に地券を発行し, 地価の3％を現金で納めさせた（地租改正）。

地価が書かれている

▲ 地券　　　　　（学研資料課）

地租改正により, 不作や豊作に関係なく国の収入は安定したが, 農民の負担は変わらず重く, 各地で反対の一揆が起こったぞ。

あわせて確認！　［明治新政府の改革］

 お金が入って国はウハウハだね。

 役人がもうけるためじゃないぞ。ヨーロッパの国々に追いつくためだ。

 追いつくためにほかに何かしたの？

 一つは徴兵令だな。

 え, 兵隊のこと？

そう。20才以上の男子には, 3年間軍隊に入ることを義務づけた。富国強兵を実現するため, 西洋風の強い軍隊をつくろうとしたんだ。あとは殖産興業だ。

 ショクサン？？

 殖産は生産を増やすこと, 興業は産業をさかんにすることだ。国が運営する官営工場を各地につくったぞ。こうした改革や社会の変化を明治維新という。

富国強兵——国を経済的に豊かにして国力をつけ, 強い軍隊をつくることを目指すという明治新政府の方針。

▲ 富岡製糸場——1872年に群馬県につくられた代表的な官営工場。世界文化遺産。　（個人蔵）

3715万円

| 生糸 35.1% | 茶 18.0 | 石炭 5.3 | 銅 5.0 | その他 29.7 |

水産物 6.9　（「日本貿易精覧」）

▲ 日本の主な輸出品（1885年）——日本の生糸の輸出量は, 明治時代の終わりごろには世界一になった。

民間会社の育成も進められ, 渋沢栄一は500以上の会社の設立に関わった。

【不平等条約の改正】

Q. 19

難易度 ★ ★ ★

ノルマントン号事件で，イギリス人の船長が軽いばつしか受けなかったのはなぜ？

ヒント

江戸時代末に幕府と欧米諸国が結んだ修好通商条約は，どんな内容だった？

▲ **ノルマントン号事件の風刺画**——1886年，イギリス船ノルマントン号が和歌山県沖で沈没し，日本人乗客は全員亡くなった。イギリス人船長は，イギリスによる領事裁判で軽いばつを受けただけだった。

（美術同人社）

A. 日本国内で罪をおかした外国人を,日本の法律で裁くことができなかったから。

江戸時代末に幕府が欧米諸国と結んだ修好通商条約は,外国に領事裁判権（治外法権）を認め,日本に関税自主権がない不平等な内容だった。領事裁判権とは,罪をおかした外国人をその国の領事という役人が裁く権利,関税自主権とは,輸入品にかける税金を自由に決める権利である。

罪をおかした人を日本に引きわたせ！

わたしの国の法律で裁く！

罪が軽くなるかも

外国人に有利な判決！

ノルマントン号事件をきっかけに国内で不平等条約改正を求める声が高まった。

関税自主権がないと,安い外国の製品が入ってきて国内の産業の発展がさまたげられる。関税自主権の回復も必要ってこと。

あわせて確認！　［不平等条約の改正と憲法制定］

条約改正に取り組むのはいつから？
明治時代の初めに欧米に使節団を送ったが,日本が近代化していないことを理由に応じてもらえなかったんだ。

 それはひどい！

しかし,その後板垣退助らが始めた自由民権運動の成果もあり,1889年に大日本帝国憲法が発布され,翌年には国会（帝国議会）も開かれた。

 おー。なんか近代化っぽい。

近代工業も発展した。ようやく1894年に外務大臣の陸奥宗光が領事裁判権の撤廃に成功し,1911年には外務大臣の小村寿太郎が関税自主権の回復に成功したんだ。

自由民権運動——国会を開いて,国民の政治に参加する権利を求める運動。
大日本帝国憲法——伊藤博文らがドイツの憲法を参考に案を作成。主権者の天皇に強い権限があった。

（学研・資料課）

▲ 八幡製鉄所（福岡県）——1901年に鉄鋼の生産を始めた官営製鉄所。日本の重工業の発展を支えた。

　くわしく　政府は鹿鳴館という洋館で舞踏会を開き,日本の西洋化をアピールした。

Q. 20

難易度 ★

次の詩には
どんな思いが
こめられている？

あゝをとうとよ 君を泣く
君死にたまふことなかれ

A. 日露戦争に出兵した弟を心配し, 戦争に反対する思い。

1904年に始まった日本とロシアの戦争(日露戦争)は, 国をあげての戦いとなった。日本は苦戦しながらも勝利し, ロシアとの間で結ばれた講和条約で, 樺太(サハリン)の南部や南満州の鉄道と鉱山の権利などを得た。しかし, 賠償金は得られなかったため, 国民には不満が残った。

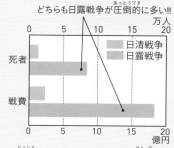

▲ 日清戦争と日露戦争の死者・戦費

日露戦争の戦費をまかなうために二度増税が行われ, 物価も高くなるばかりで国民は苦しい生活を送ったんだ。

あわせて確認! ［日清戦争と日露戦争］

 ロシアと戦争になったのはなぜ?

 日本は日清戦争に勝ち, 満州や朝鮮に勢力をのばそうとした。同様にロシアも満州や朝鮮をねらっていたんだ。

 日本は清にも勝ってたんだ!!

そう。台湾やリヤオトン(遼東)半島などの領土のほか, 多額の賠償金も得た。

 日本めっちゃ強いじゃん。

 しかし, 満州に進出したいロシアがドイツ・フランスとともに, リヤオトン半島を清に返すように日本にせまった。日本はしぶしぶ応じたぞ。

 よってたかってずるい。

 これにより日本とロシアの対立が深まり, 開戦につながってしまったんだ。

日清戦争──1894年に始まった, 日本と清(中国)との戦争。勝利した日本は, 清から得た多額の賠償金を使って軍事力を強化した。

▲ 日本の領土の広がり──日本は, 1910年に朝鮮(韓国)を併合し, 植民地とした(韓国併合)。

くわしく 日本は戦費不足, ロシアは国内で革命運動が起こって戦争継続が難しくなった。

Q.21

難易度 ★ ★ ★

昭和の初め,日本が人手と
お金をかけて
満州での権利を
守ろうとしたのはなぜ?

ヒント 当時,日本国内では不景気が広がり,仕事を失って生活に苦しむ人々が増えていたんだ。

A. 資源の入手や軍事的な拠点としてとても重要な場所だったから。

日本で昭和時代の初めに不景気が広がると，一部の政治家や軍人が資源が豊富な満州を日本のものにして景気を回復しようと考えた。1931年，日本軍が中国軍を攻撃して満州事変が起こった。1932年には満州を占領し，満州国の建国を宣言して，日本が政治の実権をにぎった。

（毎日新聞社）

▲ 満州へわたった日本人 ── 政府が安く買い上げた土地を開拓し，農作物を生産して日本へ送った。

いっぽう，日本国内では，一部の軍人による首相の暗殺事件などが起こり，軍部の政治に対する発言力が強くなっていったよ。

あわせて確認！ ［日中戦争］

 日本軍，勝手すぎない？
 中国のうったえを受けた国際連盟は，満州国を認めなかった。

 それで日本はどうしたの？
国際連盟を脱退し，さらに中国北部へ進出しようとしたぞ。

 どんどんよくない方向に…。

 そうだ。1937年，ペキン（北京）近くでの日本軍と中国軍の衝突をきっかけに日中戦争となった。戦いは中国各地に広がり，長期化したんだ。

 日本は苦戦したってこと？

 そう。アメリカやイギリスが中国を援助したからな。

国際連盟 ── 第一次世界大戦後につくられた，世界平和のための国際組織。
日中戦争 ── 日本は100万人もの兵力を送りこみ，戦いは市街地でも行われ，多くの中国人が被害にあった。

1937年7月開戦

□ 1941年12月までの戦場
■ 日本軍が兵力を進めた地域

▲ 日中戦争の広がり

くわしく 満州事変は，日本軍が南満州鉄道の線路を爆破する事件から始まった。

Q.22

難易度 ★

太平洋戦争の終わりごろ，都市部の小学生が地方へ集団疎開したのはなぜ？

ヒント 学校単位で地方のお寺などへ避難したんだ。なぜ，避難しなくてはいけなかったのだろうか。

A. 都市部への空襲が激しくなったから。

1941年12月, 日本はアメリカやイギリスなどの国々を相手に太平洋戦争を始めた。日本は初めは勝利したが, アメリカ軍の反撃を受けると, 敗戦が続くようになり, 日本の多くの都市がアメリカ軍の激しい空襲を受けた。住宅地も爆撃されたため, 多くの一般国民がぎせいになり, 子どもは地方に避難した。

▲ 空襲を受けた東京——1945年3月10日の東京大空襲では, 10万人以上が亡くなった。　　　　　　（毎日新聞社）

日本には木造の建物が多かったため, 火災を起こす焼夷弾が落とされたんだ。多くの都市が焼け野原となってしまった。

あわせて確認！　［太平洋戦争］

 日本はアメリカとなぜ対立したの？

 1939年に第二次世界大戦が始まり, 日本は資源が豊富な東南アジアに進出し, ドイツ・イタリアと軍事同盟を結んだ。これを警戒したアメリカは日本への石油の輸出を禁じ, 対立を深めたんだ。

 どっちから戦争をしかけたの？

 日本だ。ハワイのアメリカ軍港などを攻撃して太平洋戦争が始まった。

 でも, だんだん負けてきちゃった。

 そうだ。アメリカ軍は, 1945年4月に沖縄島に上陸し, 8月には広島と長崎に原子爆弾（原爆）を投下した。

 被害が広がるいっぽうだね…。

 日本は降伏し, 戦争が終わったよ。

第二次世界大戦——枢軸国（ドイツ, イタリア, 日本など）と連合国（イギリスやアメリカなど）との戦争。

▲ ハワイの真珠湾にあったアメリカ軍港への攻撃　　　（AP/Aflo）

▲ 原子爆弾が投下された広島——中央の建物は原爆ドーム。（読売新聞社）

　くわしく　沖縄島では激しい地上戦となり, 12万人以上の県民がぎせいになった。

【民主主義による戦後改革】

Q.23

難易度 ★ ★

1946年に
選挙権をもつ人の割合が
大きく増えたのは
なぜ?

ヒント

それまで選挙権をもっていたのは,25才以上の男性だけだったよ。

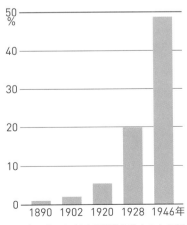

▲ 日本の人口に対する選挙権をもつ人の割合の変化

動物も投票したから?

113

[選挙権をもつ人が大きく増えた理由]

A. 選挙権が20才以上のすべての男女にあたえられたから。

戦争に敗れた日本は, アメリカを中心とする連合国軍に占領され, その指示のもとで民主化のためのさまざまな戦後改革を行った。その一つとして選挙法が改正され, 女性にも選挙権が保障された。新たな選挙制度で選ばれた国会議員によって, 日本国憲法が定められた。

（毎日新聞社）

▲ 初めて誕生した女性の国会議員——選挙権と同時に選挙に立候補できる権利も女性にあたえられた。

みんなも将来は選挙権をもつってことだ。選挙権をもつ年れいは, 2016年に18才以上に引き下げられたよ。

あわせて確認！ ［戦後改革］

 今の憲法もこのときできたんだ!!

 そう。新しい国づくりの基本となる日本国憲法は1946年11月3日に公布, 1947年5月3日に施行された。

 コウフ？シコウ？

 公布は広く国民に知らせること, 施行は実際に効力を発生させることだ。

 なるほど。ほかにも改革したの？

右のさし絵を見てほしい。「戦争放棄」とある。日本は二度と戦争をしないとちかい, 軍隊を解散した。

 戦争なんてもうこりごりだね…。

 ほかにも農地改革を行って, 多くの農民が自分の農地をもった。解散させられていた政党も復活したんだ。

（国立国会図書館）

戦争放棄

◀▼『あたらしい憲法のはなし』（憲法についての中学校の教科書）のさし絵とその内容

こんどの憲法では, 日本の国が, けっして二度と戦争をしないように, 二つのことを決めました。その一つは, 兵隊も軍艦も飛行機も, およそ戦争をするためのものは, いっさいもたないということです。
（中略）もう一つは, よその国と争いごとがおこったとき, けっして戦争によって, 相手を負かして, 自分の言い分を通そうとしないということを決めたのです。

くわしく 改革で, 戦前の日本経済を支配していた特定の大会社は解体させられた。

Q. 24

難易度 ★

太平洋戦争が
終わったあと,
写真のように外で授業が
行われたのはなぜ?

ヒント 校庭にいすを並べて授業をしているね。
なぜ外なのだろうか。

▲「青空教室」で学ぶ子どもたち

（毎日新聞社）

A. 空襲で校舎が焼けてしまい, 教室がなかったから。

連合国軍の占領下にあった戦後の日本では, 教育制度の改革も行われた。子どもが教育を受ける権利が保障され, 小学校6年間, 中学校3年間の9年間が義務教育となった。また, 男女共学となり, 学校給食が始まるなど, 現在の学校教育のしくみがこのときから始まった。

軍事教育に関わる部分は, すみで消して使われた。

▲ すみぬりの教科書　　（東書文庫）

民主主義にもとづき, 平和な国や社会をつくる国民を育てることが教育の目標とされたよ。このとき社会科が新しく教科になった。

あわせて確認!　［日本の国際社会への復帰］

 改革もいいけど, 早く占領から解放されたいよ…。

 1951年に, 48か国との間でサンフランシスコ平和条約が結ばれ, 翌年日本は独立を回復したんだ!!

 やった!! はて, サンフランシスコ?

 アメリカの都市だ。このとき, アメリカとは日米安全保障条約も結んだんだ。

 それはどんな条約?

 日本の安全と東アジアの平和を守るためとして, アメリカ軍が日本各地の基地にとどまることになった。

 だから, 今でも基地があるのか。

 1956年に日本は国際連合加盟が認められ, 国際社会に復帰したよ。

（読売新聞社）

▲ 平和条約に調印する日本の代表

台湾, 千島列島, 南樺太などを放棄。

ソ連（現ロシア）

日本は朝鮮の独立を認める。

沖縄, 奄美群島, 小笠原諸島はアメリカが治める。

0　　　500km

▲ 平和条約の主な内容──奄美群島は1953年, 小笠原諸島は1968年, 沖縄は1972年に日本に復帰した。

くわしく 国連加盟は, 平和条約を結んでいなかったソ連との国交回復により実現した。

Q.25

難易度 ★ ★ ★

朝鮮戦争をきっかけに,
日本の復興が進んだのは
なぜ?

ヒント

韓国を支援したアメリカは,日本本土や沖縄のアメリカ軍基地を使用したんだ。

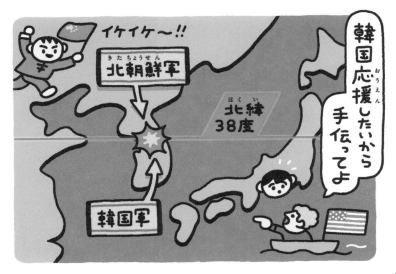

［朝鮮戦争で日本の復興が進んだ理由］

A. アメリカが日本に軍事物資を大量に注文したから。

日本の敗戦で植民地支配から解放され，南部をアメリカ，北部をソ連に占領されていた朝鮮では，南に大韓民国（韓国），北に朝鮮民主主義人民共和国（北朝鮮）が成立し，1950年に朝鮮戦争が起こった。日本では，アメリカ軍向けの軍事物資が大量に生産され，好景気となった。

(Everett Collection/アフロ)

▲ 朝鮮戦争——1953年に休戦協定が結ばれたが，今も終戦していない。

 朝鮮戦争の背景には，アメリカを中心とする西側陣営と，ソ連を中心とする東側陣営の対立があったよ。冷たい戦争というんだ。

あわせて確認！ ［日本経済の発展］

 好景気はその後も続いたの？

 そう。日本経済は1950年代半ばから1973年にかけて急速に発展した。高度経済成長とよばれるんだ。

 すごい!! 日本はノリノリだね。

 高度経済成長期の1964年には，アジア初の東京オリンピックが開かれ，東海道新幹線も開通した。

 東京と大阪を結ぶ新幹線だ。

 そのとおり。高速道路や地下鉄，下水道などの整備も進んだんだ。

 どんどん便利になっていくね。

各地にコンビナートができ，重化学工業も発達した。1968年には，国民総生産（GNP）が世界第2位になったよ。

(学研・資料課)

▲ 東京オリンピック（1964年）の開会式

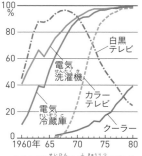

▲ 主な電化製品の普及率の変化

　くわしく　国民総生産は，国民が1年間につくったものやサービスなどの価値の合計。

[歴史]

確認テスト

●100点満点
●答えは166ページ

1 ある歴史上の人物を紹介した次のA〜Cの文を読んで，あとの各問いに答えなさい。

(3)は9点，ほかは4点×5)

A わたしは冠位十二階や役人の心構えを示したきまりを定めました。

B わたしは東大寺や大仏をつくり，高僧の鑑真を招きました。

C わたしは11世紀の初めごろに，むすめを次々と天皇のきさきにして，政治の実権をにぎるようになりました。

(1) A〜Cにあてはまる人物はだれですか。それぞれ答えなさい。

A〔 　　　　　〕 B〔 　　　　　〕 C〔 　　　　　〕

(2) Aの下線部について，役人の心構えを示したきまりを何といいますか。

〔 　　　　　　　　　　　　　　　　　　　〕

(3) Bの下線部について，鑑真を招いた目的を簡単に説明しなさい。

〔 　　　　　　　　　　　　　　　　　　　〕

ミス注意 (4) Cについて，このころに栄えた文化の特色を，次のア〜ウから1つ選び，記号で答えなさい。 〔 　　　〕

ア 武士の好みに合った力強い文化

イ 唐のえいきょうを受けた，世界とのつながりのある文化

ウ 日本の風土や生活に合った日本風の文化

2 鎌倉幕府や豊臣秀吉の政治について，次の各問いに答えなさい。

((2)は9点，ほかは4点×2)

ミス注意 (1) 右の図は，鎌倉幕府の将軍と御家人の関係を示しています。図中の矢印のA，Bにあてはまる語句を，それぞれ2字で答えなさい。

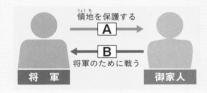

領地を保護する
A →
← **B**
将軍のために戦う

将軍　　　御家人

A〔 　　　　　〕 B〔 　　　　　〕

(2) 豊臣秀吉は検地を行って，全国の田畑の面積や土地のよしあし，耕作者などを調べ，記録しました。検地の目的を簡単に説明しなさい。

〔 　　　　　　　　　　　　　　　　　　　〕

3 江戸時代から明治時代の主なできごとをまとめた下の年表を見て，次の各問いに答えなさい。

((4)は9点，ほかは4点×6)

(1) **A**について，江戸幕府を開いたのはだれですか。
〔　　　　　　　　　〕

(2) **B**について，一揆のあとにさらに厳しい取りしまりをうけた宗教は何ですか。
〔　　　　　　　　　〕

年	主なできごと
1603	江戸幕府が開かれる ……………… A
	↕ X
1637	島原・天草一揆が起こる ……… B
	↕ Y
1873	地租改正が行われる ……………… C
	↕ Z
1904	日露戦争が起こる ………………… D

(3) **C**について説明した次の文の〔　　　〕にあてはまる語句を答えなさい。

◆ 地価を定め，土地の価格の3%を〔　　　　　　　　　〕で納めさせた。

(4) **D**について，日本は日露戦争に勝利したものの，国民の間では講和条約の内容に不満が高まりました。その理由を簡単に説明しなさい。
〔　　　　　　　　　　　　　　　　　　　　　　　　　　　　　　　　　〕

(5) 次の①～③に関係する時期を，年表中の**X**～**Z**から1つずつ選び，記号で答えなさい。
① 五箇条の御誓文 〔　　　〕　　② 大日本帝国憲法 〔　　　〕
③ 参勤交代の制度 〔　　　〕

4 満州事変や太平洋戦争，日本の戦後改革について，次の各問いに答えなさい。

((3)は9点，ほかは4点×3)

(1) 1931年，満州事変が起こりました。満州の位置を右の地図中の**ア**～**ウ**から1つ選び，記号で答えなさい。〔　　　〕

(2) 太平洋戦争で原子爆弾が落とされた都市を，右の地図中の**a**～**d**から2つ選び，記号で答えなさい。
〔　　　〕

(3) 戦後改革の一つとして選挙法が改正され，20才以上の男女に選挙権があたえられました。それまで選挙権はどんな人たちに限られていましたか。
〔　　　　　　　　　　　　　　　　　　　　　　　　　　　　　　　　　〕

Q. 26
旧石器・縄文・弥生時代と奈良・
平安・鎌倉・室町・江戸時代，
それぞれ何を基準にした時代区分？

Q. 27
卑弥呼が中国（魏）に
使いを送ったのはなぜ？

> 弥生時代は，くにどうしが争っていたよね。

Q. 28
江戸時代の人々が，動物の肉を
「ぼたん」や「もみじ」などと
よんで食べたのはなぜ？

Q. 29
鎌倉幕府が
元軍に
苦戦したのはなぜ？

▲ 元軍（左）との戦い

(菊池神社)

Q. 30
織田信長がキリスト教を
保護したのはなぜ？

(長興寺)

 信長と対立していたのはどんな勢力かな？

▲ 織田信長

A. 26

旧石器・縄文・弥生は使用した道具，奈良・平安・鎌倉・室町・江戸は政治の中心地による時代区分。

◀ 打製石器

…縄文時代の前の旧石器時代に使われた。

（明治大学博物館）

- 縄文時代には縄文土器，弥生時代には弥生土器が使われた。

A. 27

自分の支配者としての地位を認めてもらうため。

- 中国のまわりの国々の王は，中国の皇帝の権力を後ろだてにして自分の権威を高めようと考えた。
- 卑弥呼は中国の皇帝にみつぎ物をおくり，皇帝からは日本の王を意味する「親魏倭王」の称号と金印，銅鏡100枚などをあたえられた。

A. 28

仏教の教えに反することから，堂々と肉を食べることが難しかったから。

- 「ぼたん」はいのししの肉，「もみじ」は鹿の肉，「さくら」は馬の肉のこと。
- 仏教の教えで肉を食べてはいけないとされていたので，植物の名前をつけることで食べやすくした。

A. 29

元軍が集団戦法や火薬兵器を用いたから。

- 当時の日本では一騎打ちが戦い方の中心だった。
- 元軍が使った「てつはう」という新兵器は，中に火薬や鉄片などがつめられている。p.121の中央で破れつしているのが「てつはう」。

A. 30

信長と対立する仏教勢力をおさえるため。

- 織田信長は，比叡山延暦寺（滋賀県）や一向宗などの仏教勢力を武力で従わせた。
- いっぽうで，キリスト教に対しては安土（滋賀県）に学校，京都に教会堂をつくることを許可した。

Q. 31 徳川家康がわずか2年で将軍職を子にゆずったのはなぜ？

徳川家康の子だから，次の将軍も徳川○○？

Q. 32 江戸時代，関所でとくに注意がはらわれた「入り鉄砲と出女」はどんな意味？

「出女」とは江戸から出る女性のこと。

Q. 33 関東大震災で火災による被害が大きかったのはなぜ？

地震は1923年9月1日午前11時58分に発生したよ。

Q. 34 1920年代後半，多くの人々が銀行におしよせたのはなぜ？

（毎日新聞社）

Q. 35 第二次世界大戦後のアメリカとソ連の対立を冷たい戦争という理由は？

アメリカ中心の資本主義諸国とソ連中心の社会主義諸国の対立だよ。

A. 31 徳川家が代々将軍になることを全国の大名たちに示すため。

- 1603年に征夷大将軍になった徳川家康は、わずか2年で子の秀忠に将軍職をゆずった。
- 江戸幕府のしくみは第3代将軍徳川家光のころに確立し、世の中が安定した。

A. 32 江戸に鉄砲が持ちこまれることと,大名の妻が江戸を出ること。

- 幕府は江戸と結ばれた街道に関所を置き, 人やものの出入りを厳しく取りしまった。
- 大名による幕府への反乱が起こらないよう, とくに左の二つを警かいした。

A. 33 当時は木造の家が多く,昼食の準備で火を使用していたから。

（毎日新聞社）

▲ 地震発生後の東京…死者・行方不明者は10万人をこえた。

A. 34 銀行の経営に不安が高まり,人々がいっせいに預金を引き出そうとしたから。

- 関東大震災で大きな打撃を受け, 不景気が続いていた日本で起こり, 多くの銀行が休業した。
- こののち, 1929年にアメリカから始まった世界的な不景気が日本にもおよび, 不景気はさらに深刻になった。

A. 35 アメリカとソ連は厳しく対立したが,両国の直接の戦争にはならなかったから。

- 冷戦（東西冷戦）ともよばれる。アメリカとソ連が直接戦うことはなかったが, 代理戦争の形で, 朝鮮戦争やベトナム戦争がおこった。
- 1989年のマルタ会談で, アメリカとソ連の首脳が話し合い, 冷戦の終結が宣言された。

政治・国際

政治分野と国際分野について、小学6年の学習内容と、中学入試で問われるレベルの問題をあつかっています。

最後はどんな
内容なの？

日本の政治の
しくみや世界の
国々などについて
知ろう。

【基本的人権の尊重】

Q.01

難易度 ★★★

2002年から
「看護婦」というよび名が
「看護師」に変わった。
それはなぜ？

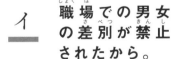
看護師には女性が多いけど，男性の看護師もいるぞ。

ア 看護婦の地位が上がったから。

イ 職場での男女の差別が禁止されたから。

A. イ 職場での男女の差別が禁止されたから。

法律の改正で,日本国憲法が定める「法の下の平等」にもとづき,職場での男女差別が禁止された。これをきっかけに,女性だけ,男性だけにあてはまるよび方をしなくなった。

変更前	変更後
看護婦（女）・看護士（男）	看護師
助産婦（女）	助産師
保母（女）・保父（男）	保育士
スチュワーデス（女） スチュワード（男）	客室乗務員

▲ 男女雇用機会均等法（1997年に改正）がきっかけで変更された職業の名前

求人広告で「看護師募集（女性のみ）」とした場合,女性しか募集していないことになるので,法律で禁止されているぞ。

あわせて確認 ［基本的人権の尊重］

 「法の下の平等」って?

人種や信条,性別などによって差別されないということだ。日本国憲法第14条で保障されている。

 それってあたり前のことだよね。

でも,この考えが一部の国で認められるようになったのは200年ほど前のことなんだ。これを平等権といい,日本国憲法では,平等権のほかに,自由権,社会権などの基本的人権が保障されている。

 基本的人権って?

すべての人が生まれながらにもっている権利だ。基本的人権が保障されることで,人間は平等にあつかわれ,自由に行動することができる。

自由権 —— 自由にものを考えたり,自由に意見を発表したりすることができる権利。

社会権 —— 国に対して,人間らしい生活が送れるように求める権利。

●思想や学問の自由

●男女の平等

●健康で文化的な生活を営む権利（生存権）

●働く人が団結する権利

▲ いろいろな国民の権利——日本国憲法では,基本的人権の尊重が原則の一つとなっており,いろいろな国民の権利が保障されている。

Q.02

難易度 ★ ★ ★

憲法と法律って どうちがうの?

ア 憲法は国民の心がまえ,法律は守らないと罰を受けるもの。

イ 憲法は外国との約束,法律は地方議会が決めるきまり。

ウ 憲法は国が守るべききまり,法律は国民が守るべききまり。

エ 憲法は内閣が決めるきまり,法律は国会で決めるきまり。

A. ウ 憲法は国が守るべききまり,法律は国民が守るべききまり。

日本国憲法の条文のほとんどは,国が守るべききまりであり,国の権力を制限し,国民の人権を守るためのものである。法律の多くは,憲法にもとづいて国会が定める,国民が守るべききまりである。憲法は法律より上位にあり,法律が憲法に違反していれば,その法律は効力をもたない。

▲ 人の支配と法の支配——憲法は,国の権力も法によって制限されるという法の支配の考え方にもとづいて制定されている。

憲法は,国民の自由や生命,財産などを守るためにある。国の権力がこれらを侵害しないように,憲法は国の権力を制限するのだ。

あわせて確認　［立憲主義］

 国民は憲法を守らなくてもいいの?

 日本国憲法が定める国民の三大義務は守らなくてはいけないが,あとは国の権力を制限するものだといえる。

 国の権力に制限をかけたら,国の権力が弱くなるんじゃない?

 そうではない。過去に強くなりすぎた国の権力によって,国民の基本的人権がおかされたことがあった。

 えーっ! それはいやだなあ。

 そうならないように,憲法で国の権力を制限する必要がある。この考え方を立憲主義というぞ。そして,憲法を国の最高法規とすることで,立憲主義が実現されるのだ。

国民の三大義務——日本国憲法には,子どもに教育を受けさせる義務,仕事について働く義務,税金を納める義務の三つが定められている。

立憲主義——基本的人権を保障するために,国の権力を憲法によって制限しようという考え方。

最高法規——憲法はどんな法律よりも上位にあり,憲法に違反する法律などは無効になる。

▲ 法の構成——上位にある法ほど,効力が強くなる。条例とは,地方議会が法律のはんいでつくるきまり。

【日本国憲法の三つの原則】

Q.03

難易度 ★ ★

現在の天皇が政治についての権限をもたないのはなぜ？

ヒント

昔は天皇が政治についての大きな権限をもっていたけど，今は国民が政治の中心だ。

▲ 国会の開会式に出席する天皇陛下

(UPI／アフロ)

131

A. 日本国憲法では,天皇は日本国と日本国民のまとまりの象徴だから。

主権とは国の政治のあり方を最終的に決める権限のこと。日本では国民が主権をもっており(国民主権),天皇は日本と日本国民のまとまりの象徴(しるし)と定められている。天皇は憲法に定められた国事行為を内閣の助言と承認にもとづいて行う。

天皇 ─ 内閣の助言と承認

- 内閣総理大臣の任命
- 最高裁判所長官の任命
- 憲法改正・法律・条約の公布
- 国会の召集
- 衆議院の解散
- 栄典の授与 など

▲ 天皇の主な仕事
（国事行為）

天皇は国事行為のほか,災害の被災地への訪問など公的な仕事を行っているんだ。

あわせて確認 ［日本国憲法の三つの原則］

 国民主権は日本国憲法の三つの原則の一つなんだ。

 ほかの二つは何なの？

 基本的人権の尊重と平和主義だ。基本的人権は前に出てきたけど,覚えてる？

 すべての人が生まれながらにもっている権利だね。

 オッケー。平等権,自由権などのことだ。

 平和主義って例えば何なの？

 戦争を二度とくり返さないために,日本は外国との争いを戦争では解決しないということだ。戦力をもたないことも日本国憲法第 9 条で定めている。

 ほかの国も全部そうなればいいね。

日本の政治

国民による政治	国民のための政治	国際協調
国民主権	基本的人権の尊重	平和主義

日本国憲法

▲ 日本国憲法の三つの原則

①日本国民は,正義と秩序を基調とする国際平和を誠実に希求し,国権の発動たる戦争と,武力による威嚇又は武力の行使は,国際紛争を解決する手段としては,永久にこれを放棄する。
②前項の目的を達するため,陸海空軍その他の戦力は,これを保持しない。国の交戦権は,これを認めない。

▲ 平和主義を定めた日本国憲法第 9 条

【国会のはたらき】

Q.04

難易度 ★ ★

衆議院と参議院,
二つの議院があるのは
なぜ?

ヒント
二つあると結論を出すのに時間はかかるけど,その分,どうなるかを考えるのだ。

ア 二つの議院で話し合いをすることで,慎重に結論を出すことができるから。

イ 二つの議院があることで,あまりお金をかけずに,話し合いができるから。

ウ 二つの議院が協力することで,国民の団結をより強めることができるから。

A. ア 二つの議院で話し合いをすることで，慎重に結論を出すことができるから。

衆議院と参議院では，右の表のように任期や議員定数，立候補できる年齢，選挙方法などがちがう。そのため，二つの議院は異なる視点をもっており，別々の視点から法律案を話し合うことで，慎重に結論を出すことができる。

	衆議院	参議院
議員定数	465人	248人
任期	4年	6年（3年ごとに半数を改選）
選挙権	18才以上	18才以上
被選挙権	25才以上	30才以上
解散	あり	なし
選挙区	小選挙区289人	選挙区148人
	比例代表176人	比例代表100人

▲ 衆議院と参議院のちがい（2022年2月現在）──被選挙権とは選挙に立候補する権利。

二つの議院が異なる視点をもつということは，国民のさまざまな意見を反映できるということ。これも議院が二つある理由だ。

あわせて確認 ［国会のはたらき］

 国会ってどんなことをしてるの？

 法律をつくるのがいちばん重要な仕事で，この力を立法権という。

 ほかにも何かしてるの？

国のお金の使いみち（予算）を決めたり，外国との約束（条約）を承認したりしている。

 お金の使いみちは大切そうだ。

ほかにも内閣総理大臣の指名や内閣不信任の決議をしたり，問題のある裁判官をやめさせたりすることができる。こうしたほかの機関がもつ権力の行きすぎをおさえる役割もあるんだ（→p.140）。

 国会は国民の代表だから，がんばってほしいね。

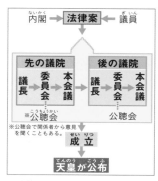

▲ 法律ができるまで──衆議院，参議院のどちらが先に審議してもよい。

内閣不信任の決議──衆議院のみが行うことができる，内閣が信頼できないという意思表示。可決されると，内閣は総辞職するか，衆議院を解散しなければならない。

Q. 05

難易度 ★ ★

内閣総理大臣は どうやって選ばれる？

ヒント

あれ？ テレビで見たことあるぞ…。

ア 国民によって, 選挙で選ばれる。

イ 国会議員の中から, 国会で指名される。

ウ 最高裁判所によって指名される。

A. イ 国会議員の中から, 国会で 指名される。

内閣の最高責任者である内閣総理大臣（首相）は, 国会議員の中から国会の指名によって選ばれる。内閣総理大臣に任命された, 財務大臣などの国務大臣は, 専門的な仕事を担当する。内閣総理大臣と国務大臣は, 会議（閣議）を開いて, 政治の進め方を話し合う。

▲ 内閣総理大臣の指名（2021年11月）

(朝日新聞社)

内閣総理大臣は国会議員でなければならず, ほとんどの場合, 衆議院で多数の議席をしめる政党の代表が選ばれる。

あわせて確認 ［内閣のはたらき］

内閣はどんな仕事をしているの？

国会が決めた予算や法律にもとづいて, 国民のために仕事をしている。これを行政という。主な仕事は下の図を見てくれ。

これをみんな内閣がやってるの？

実際には, 内閣の下に置かれている, 省や庁などが分担して仕事を進めている。

省庁	仕事
財務省	予算や財政など
外務省	外交
厚生労働省	国民の健康や労働など
環境省	環境
文部科学省	教育, 科学, 文化など
復興庁	東日本大震災からの復興

▲ 主な省庁 —— 復興庁は2030年度末までに廃止予定。

法律案・予算（案）をつくる	条約を結ぶ	政令を制定する	・国会の召集を決める。
法律案と予算をつくり, 国会に提出する。	外国と交渉し, 条約を結ぶ。条約を承認するのは国会。	憲法や法律の規定を実施するために定める。	・衆議院の解散を決める。 ・最高裁判所の長官を指名し, その他の裁判官を任命する。 ・天皇の国事行為に助言と承認をあたえる。

▲ 内閣の主な仕事 —— 予算とは政府の1年間の収入と支出の見積もり。

【裁判所のはたらき】

Q.06

難易度 ★ ★

一つの事件について, 裁判を3回まで受けることができるのはなぜ?

ヒント 誤った判決で有罪にされてしまったら,たまったものではないぞ。

A. 裁判のまちがいを防ぎ, 国民の基本的人権を守るため。

裁判では必ずしも正しい判決が出るとは限らない。そのため, もし判決に不服がある場合, 一つの事件について3回まで裁判を受けることができる(三審制)。こうして, 慎重な裁判を行い, 国民の基本的人権が守られるようにしている。

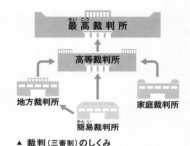

▲ 裁判(三審制)のしくみ

有罪判決を受け, 刑が確定したあとに無罪となる新しい証拠が出た場合, 裁判をやり直す再審を求めることができる。

あわせて確認 ［裁判の種類］

 無実なのに死刑になるのはイヤだ!

 それを「えん罪」という。「えん罪」を防ぐためにも裁判は慎重にしなくてはならん。

 ひー。裁判官も大変だ…。

 死刑のような刑罰を決める裁判を刑事裁判という。殺人や強盗などの犯罪についての裁判だ。

 なんだかこわそうだね。

 裁判員制度は, この刑事裁判で行われている。レモンも将来, 裁判員に選ばれるかもしれないぞ!

 責任重大だね。ほかにも裁判の種類があるの?

 民事裁判があるぞ。個人や企業などの争いに関する裁判だ。

えん罪——罪がないのに, 罪があるとされ, 有罪の判決を受けること。

▲ 刑事裁判の流れ——被疑者(犯罪を犯した疑いのある者)を検察官が裁判所にうったえること(起訴)によって裁判が始まる。被疑者は裁判所に訴えられると, 被告人とよばれる。

裁判員制度——くじで選ばれた18才以上(2022年までは20才以上)の国民が重大な犯罪の刑事裁判に参加し, 裁判官とともに事件について判断する。
民事裁判——貸したお金が返ってこない場合や, 交通事故で損害を受けた場合などで行われる。

【三権分立】

Q.07

難易度 ★★

国の権力を三つに分け，国会・内閣・裁判所に役割を分担させているのはなぜ？

ヒント

もし一つの機関に権力が集中していたらどうなるかを考えよう！

［国の権力が三つに分かれている理由］

A. 権力の集中を防いで,国民の基本的人権を守るため。

国の権力はとても強いため,まちがった方向に進んだ場合に,基本的人権を侵害してしまうおそれがある。そうならないように,国の権力を三つに分け,権力の行きすぎをたがいにおさえ合っている(三権分立)。

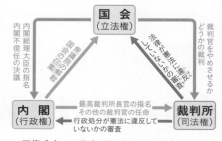

▲ 三権分立——権力がたがいにおさえ合っている。

三つの権力の中では,国民の代表である国会議員で構成される国会が重要な地位にあると定められている!

あわせて確認　［違憲立法審査権］

基本的人権が侵害されないように,いろんなくふうがされているんだね。

中でも裁判所には違憲立法審査権があり,国会や内閣が定めたきまりが憲法に違反していないかを審査することができるんだ。

裁判所は法律の守り神だ!

そう。裁判所の中でいちばん上位の最高裁判所は「憲法の番人」とよばれている。

裁判所がまちがうことはないの?

まれにある。しかし,そのまちがいを改められるようなしくみがちゃんとできているのだ(→p.138)。

うまいことできているんだね。

事例	判決内容
外国に住む日本国民の選挙権について	外国に住む日本国民の選挙権を一部制限していたのは,憲法に違反する。
女性の再婚禁止期間について	離婚や死別した女性が6か月間再婚できないのは,憲法に違反する。

▲ 違憲判決の例——憲法に違反していないかの審査は,裁判所へのうったえがあってはじめて行われる。

(朝日新聞社)

▲ 女性の再婚禁止期間についての違憲判決が出たときのよう

憲法の番人——違憲立法審査権は,どの裁判所ももっているが,最終的な決定権は最高裁判所にある。

【選挙のしくみ】

Q.08

難易度 ★ ★

日本で選挙権をもつ
年れいが20才以上から
18才以上に引き下げられ
たのはなぜ？

ヒント

今の日本は少子高齢化が進んでいる。子どもが減って，高齢者が増えているぞ！

ア 高齢者が投票に行くのが大変だから。

イ 若い世代の意見を政治により反映しやすくするため。

ウ 投票所で若い世代と高齢者が交流できるようにするため。

エ 若い世代に選挙では政治を変えられないとあきらめさせるため。

A.  若い世代の意見を政治により反映しやすくするため。

少子高齢化で若い世代の有権者が減ると, その分, 若い世代の意見が政治に反映されにくくなる。若い世代の意見は, 日本の将来にとって重要な意味があるため, 選挙権をもつ年齢を18才以上に引き下げた。

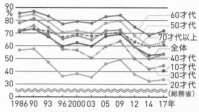

▲ **年代別投票率の移り変わり**（衆議院議員総選挙）
── 選挙で投票できる人（有権者）のうち, 実際に投票した人の割合を投票率という。

 若い世代の有権者数が増えたけど, 若い世代の投票率は低いので, 投票率を上げることも重要な課題なんだ。

あわせて確認 ［投票率を上げるには］

 投票率が低いのはなんで？

 政治に対して関心がなかったり, 不信感をもっていたりするからだ。

 なんとか投票率を上げたいね。

 最近は, 期日前投票が以前より簡単にできるようになり, 利用する人も増えているぞ。

 でも, 投票率はそんなに上がっていないみたいだね…。

 そうなんだ…。投票率が低いと, 投票した一部の人の意見だけで政治が決まってしまうおそれがある。投票しなかった人は, 自分の意見を政治に反映できていないことになるんだ。

少子高齢化 ── 子どもの数が減り, 高齢者の割合が増えること。日本では急速に少子高齢化が進んでいる。

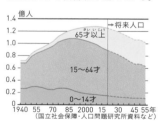

▲ **日本の人口の移り変わり** ── 15才未満の子どもの人口が減り, 65才以上の高齢者の人口が増えている。また, 日本の人口は減少しつつある。

期日前投票 ── 仕事や旅行などで, 決められた投票日に投票できない場合, 前もって投票できる制度。

142

【税金】

Q. 09

難易度 ★ ★ ★

だれも税金を納めなかったらどうなる？

ヒント　税金が何に使われているかを考えてみよう。

A. 国や都道府県,市（区）町村が行う公共的な事業ができなくなってしまう。

警察や消防など公共的な仕事は,国民や住民が納めた税金を使って,国や都道府県,市（区）町村が行っている。もし,だれも税金を納めなければ,国などはこれらの仕事ができなくなってしまい,国民や住民が自ら警察や消防を手配しなくてはならない社会になるかもしれない。

総額 107兆円

社会保障 33.6%	国債 22.3	地方交付税交付金 14.6	公共事業 5.7	5.0	防衛	その他 13.7

（2021年度）　文教および科学振興

（2021/22年版「日本国勢図会」）

▲ 国の税金の使いみち──医療や年金,介護などに使う社会保障,国の借金の返済にあてる国債,都道府県や市（区）町村に配る地方交付税交付金が大きな割合をしめている。

税金は社会にとってとても大切なものだ。わたしたちは,税金がきちんと使われているかを知っておく必要がある。

あわせて確認　［間接税と直接税］

 買い物のときに,消費税をはらっているけど,それも税金だよね。

 もちろんそうだ。買い物をすれば小学生でも負担する税金だ。お店にはらった消費税は,お店の人が国などに納めている。このように,税金を負担する人と税金を納める人がちがう税金を間接税という。

 ほかにどんな税金があるの？
所得税のように,負担する人と納める人が同じ税金が直接税だ。

消費税をはらう人

消費税 ＋ 代金 ↓

店など

消費税 ↓

国・都道府県・市（区）町村

▲ 消費税のしくみ

ものを買ったときにかかる税金（消費税）

消費税をふくめて〇〇円です。

働く人の給与にかかる税金（所得税）

今月の給与にかかる税金は…

都道府県や市（区）町村の住民にかかる税金（住民税）

〇〇市

▲ 主な税金

Q.10

難易度 ★★★

アメリカでスペイン語を話す人々が増えているのはなぜ？

ヒント

とくにアメリカの南部にスペイン語を話す人が多く住んでいるぞ。

ア スペインからの難民をたくさん受け入れているから。

イ スペインの人気が高まり，スペイン語を学習する人が増えたから。

ウ メキシコなどから多くの人々が仕事を求めて移住してきたから。

エ 英語よりスペイン語のほうが簡単に話せるから。

A.  メキシコなどから多くの人々が仕事を求めて移住してきたから。

メキシコや中央アメリカなどの国々では, スペイン語が共通の言語となっている。アメリカはこれらの国より賃金が高いため, 近年, メキシコなどから多くの人々がアメリカに移住している。こうした移民とその子孫は, スペイン語を話すことからヒスパニックとよばれる。

▲ アメリカの選挙で投票所を示す看板 —— 英語とスペイン語の両方で案内が書かれている。

(Alamy／PPS通信社)

 ヒスパニックは, 農場や工場などで比かく的安い賃金で働いていることが多いが, 自分の出身国より高い収入が得られている。

あわせて確認 ［アメリカの人々］

 アメリカ人って白人が多いイメージ。

たしかに白人（ヨーロッパ系）が多い。先住民が住んでいた土地に, ヨーロッパから移り住んだ人々がアメリカの開拓を進めたからだ。でも, 最近は, 白人の割合は減りつつある。

 スポーツでは黒人をよく見るね。

アフリカ系の人々（黒人）は, アフリカ大陸からどれいとして連れてこられた歴史がある。最近, とくに人口が増えているのは, ヒスパニックやアジア系の人々なんだ。

 アジア系も増えてるって, 少し意外だね。

アメリカは, さまざまな民族が集まった多文化社会となっているんだ。

（アメリカの）先住民 —— ヨーロッパ人が来る前から南北アメリカ大陸に住んでいた人々。

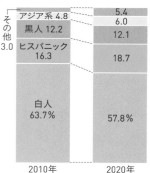

	2010年 3.1億人	2020年 3.3億人
その他 3.0		5.4
アジア系	4.8	6.0
黒人	12.2	12.1
ヒスパニック	16.3	18.7
白人	63.7%	57.8%

(U.S. Census Bureau)

▲ アメリカの人種・民族別人口割合 —— グラフ中の白人は, ヒスパニックをのぞく白人のこと。

【中国のくらし】

Q.11

難易度 ★ ★

中国で
きょうだいのいない人が
多いのはなぜ？

ヒント 中国で人口の増加をおさえるために行われていたことは何だ？

A. 最近まで，一組の夫婦に子ども一人までしか認められていなかったから。

中国では，急速な人口の増加をおさえるために，1980年ごろから，一組の夫婦に子ども一人までしか認めない**一人っ子政策**を行っていた。そのため，きょうだいのいない人が増えた。しかし，少子高齢化が進んだため，2016年から一人っ子政策は廃止された。

▲ 一人っ子政策をよびかける看板 (2013年)

(アフロ)

2016年から一組の夫婦に子ども2人までを認めたが，それでも少子高齢化が止まらず，2021年に3人まで認めることになった。

あわせて確認　［中国の人口と日本との貿易］

 中国の人口ってどれくらい？

2021年で約14億人。世界一の人口だが，将来的には減ると予測されている。

 減ったほうがいいんじゃない？

 そうでもない。中国は世界第2の経済大国だが，働く世代が減ると，工業製品などをつくる力が落ちて，日本との貿易にもえいきょうがあるかもしれない。

 中国と日本の貿易は多いの？

 日本にとって中国は最大の貿易相手国だ。たくさんのものを中国から輸入しているぞ。

 輸入できなくなったら困るね。

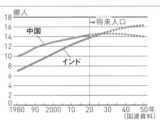

▲ 中国とインドの人口の変化——インドの人口が中国をぬくと予測されている。

中国への輸出 15兆円

| 機械類 43.8% | 自動車 6.0 | プラスチック 5.9 | 科学光学機器 4.5 | 自動車部品 4.3 | その他 35.5 |

中国からの輸入 17兆円

| 機械類 48.6% | 衣類 8.4 | 家具 2.6 | プラスチック製品 2.2 | 金属製品 3.5 | その他 34.7 |

(2020年)　(2021/22年版「日本国勢図会」)

▲ 日本と中国との貿易——日本の輸出よりも中国からの輸入が多くなっている。

くわしく 中国の人口の約9割は漢民族（漢族）で，ほかに55の少数民族がいる。

Q. 12

難易度 ★ ★

サウジアラビアの人々が ぶた肉を食べないのは なぜ？

ヒント

サウジアラビアで信仰されている宗教は何だったかな？

[サウジアラビアの人々がぶた肉を食べない理由]

A. イスラム教でぶた肉を食べることが禁止されているから。

サウジアラビアの国の宗教(国教)は**イスラム教**で, 人々はイスラム教の教えにもとづいたくらしをしている。イスラム教の聖典(経典)の「コーラン」では, ぶた肉を食べることを禁止している。ぶた肉のエキスの入った調味料も使わず, お酒を飲むことも禁じられている。

▲ **ハラルのマーク**──イスラム教のきまりで食べることを許されたものにつけられている。「ハラル」とは「許されている」という意味のアラビア語。

 イスラム教では, 一生に一度, 聖地であるサウジアラビアのメッカをおとずれることが, つとめとされている。

あわせて確認 [サウジアラビアの人々のくらし]

 ぶた肉を食べられなかったら, とんかつもだめかー。断食やおいのりもするんだ……。

 いっぽう, 石油がたくさんとれるため, 石油の輸出量が世界一で, お金もちの国なんだ。医療費や教育費は無料。

 すごいね。住みたくなってきた。

 けど, とても乾燥していて, 雨があまり降らないんだ。広い砂漠が広がっているぞ。

 水はどうしてるの?

 地下水を利用してきたが, 最近では, 海水を塩分をふくまない淡水に変えて飲み水にすることが多くなっている。

 それはすごいね!

・**断食**(ラマダン, ラマダーン)…1年のうち約1か月間, 日中は食べたり飲んだりしない。
・**礼拝**…1日に5回, 聖地のメッカの方角に向かって, おいのりをする。

▲ **イスラム教徒のつとめ**

世界計 22億t

サウジ アラビア 16.3%	ロシア 11.6	イラク 8.4	カナダ 7.0	その他 56.7

(2018年)　　　　　(2021/22年版「日本国勢図会」)

▲ **石油の国別輸出量の割合**

(ロイター/アフロ)

▲ **サウジアラビアの小学校**──小学校から男女は別々に勉強する。

くわしく イスラム教は, キリスト教の次に信仰する人が多い宗教である。

【国際連合のはたらき】

Q. 13

難易度 ★

国際連合が
つくられたのは
何のため？

ヒント
国際連合ができたのは，第二次世界大戦が
終わったのと同じ年だぞ！

ア　世界の平和と安全を守るため。

イ　世界中で自由な貿易を進めるため。

ウ　地球環境問題を解決するため。

エ　宇宙人からの攻撃を防ぐため。

［国際連合がつくられた目的］

A. 世界の平和と安全を守るため。

第一次世界大戦後, 国際連盟という組織がつくられたが, 第二次世界大戦を防ぐことができなかった。その反省から, 第二次世界大戦後に, もっと強力に戦争を防ぐしくみをつくろうとして, 国際連合(国連)がつくられた。現在, 日本をふくめ世界のほとんどの国が国際連合に加盟している。すべての加盟国は平等にあつかわれ, 経済・社会・文化などの問題を解決するために各国が協力する。

▲ 国際連合の本部
（アメリカ・ニューヨーク）

（ピクスタ）

国際連盟は, 戦争を始めた国に対して, 武力で制裁することができなかったが, 国際連合はそれができるようになった。

あわせて確認 ［国際連合のはたらき］

 平和と安全を守るって, どうやって?

安全保障理事会が中心となって, 平和維持活動(PKO)などを行っている。

 安全保障理事会って?

国際連合の重要な機関の一つだ。世界の平和を守る活動に責任がある。

 ということは, ほかにも機関があるの?

全体に関わることは総会が決める。また, 戦争やうえなどで厳しい生活をしている子どもを助けているユニセフ（国連児童基金）や, 教育・科学・文化を通じて平和な社会をつくろうとするユネスコ（国連教育科学文化機関）などの機関がある。ユニセフやユネスコには募金で支援ができるんだ。

 ちょっとしてみようかな…。

平和維持活動(PKO)——地域の紛争が大きくなることを防いだり, 紛争が休止・停止中の地域に行って, 再び紛争が起こらないようにしたりする活動。日本の自衛隊も参加している。

（ロイター／アフロ）

▲ 平和維持活動で下水管を設置する自衛隊（南スーダン）

総会——国際連合の重要な機関の一つで, 全加盟国が参加し, 毎年会議が開かれている。

 くわしく 武力制裁をするための国連軍は, 一度も結成されたことがない。

【 お 金 の 役 割 】

Q. 14

難易度 ★ ★ ★

日本で硬貨の発行枚数が減ってきているのはなぜ？

ヒント

お店のレジで, カードやスマホを出している人を見たことがないかな。

[日本で硬貨の発行枚数が減った理由]

A. キャッシュレスでの支はらいが増えたから。

お札や硬貨などの現金(キャッシュ)を使わないことをキャッシュレスという。近年, 現金で支はらうことが減り, **クレジットカード**(カード会社に代金をあとばらいする)やスマートフォンを使って支はらいをする人が増えている。

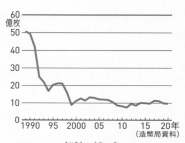

▲ 硬貨の発行枚数の移り変わり

(造幣局資料)

消費税が初めて導入されたころ, 支はらいやおつりで必要なため, 硬貨の発行枚数は非常に多くなったが, その後, 減っていった。

あわせて確認 [お金のはたらき]

 どんどん便利になるね。

そもそもお金(貨幣)自体が便利なものだ。お金がなかったら, どうやってほしいものを手に入れる?

自分が持っている何かと交換する!?

だが, いつも相手が自分の持っているものと交換してくれるとは限らない。その点, お金ならだいたいのものと交換できる。これが**交換の手段**としてのお金だ。ほかに, **価値の尺度**や**価値の貯蔵**(保存)というはたらきがあるぞ。

▲ お金の三つのはたらき

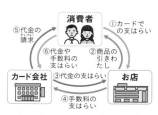

▲ **クレジットカードのしくみ** —— 商品を買うと, カード会社がお店に代金をたてかえる。のちに商品を買った人に対してカード会社が代金を請求する。

貨幣 —— 紙のお金を紙幣, 金属のお金を硬貨といい, 合わせて現金通貨という。紙幣は日本銀行が, 硬貨は日本政府が発行している。また, 現金通貨のほかに, 銀行などに預けているお金を預金通貨といい, 現金通貨よりも流通量が多い。

  日本はほかの国に比べてキャッシュレスで支はらう人が少ない。

【子どもの権利】

Q.15

難易度 ★ ★ ★

発展途上国に水道施設を
つくることは, 子どもの権利
を守ることにつながる。
それは, なぜ?

ヒント

水道施設がない発展途上国では, 子どもが
何時間もかけて水をくみに行くことがある。

A. 水をくみに行く時間が減り,子どもが教育を受ける時間を増やすことができるから。

発展途上国,とくにアジアやアフリカには,川や湖,池などまで行かないと水が手に入らないところが多い。
水くみは,多くは子どもの役割で,そのために必要な教育を受けることができない。

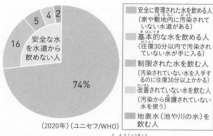

▲ 世界の人々の飲み水の利用状況

- 安全に管理された水を飲める人（家や敷地内に汚染されていない水道がある）
- 基本的な水を飲める人（往復30分以内で汚染されていない水が手に入る）
- 制限された水を飲む人（汚染されていない水を入手するのに往復30分以上かかる）
- 改善されていない水を飲む人（汚染から保護されていない水を使う）
- 地表水（池や川の水）を飲む人

74% 16 5 4 2

安全な水を水道から飲めない人

(2020年)(ユニセフ/WHO)

必要な教育を受ける機会を失えば,子どもたちはなりたい職業につくことができず,貧困からぬけ出すことがとても難しくなる。

あわせて確認 ［持続可能な開発目標］

 水道の蛇口はないの?

 世界では優れた水道施設がある国のほうが少ないんだ。その中でも日本の水道は優秀といわれている。

 ぼくたちはめぐまれているんだね。

 安全な水を水道から利用できない人は,世界の人口の約4分の1もいるんだ。

 なんとかならないの?

 国際連合が「持続可能な開発目標(SDGs)」を示した。その中に「安全な水とトイレを世界中に」という目標があり,そのための努力が始まっている。

 教育を受ける時間が増えるといいね。

SDGsには「質の高い教育をみんなに」という目標もあるぞ。

持続可能な開発目標(SDGs) —— 未来の人たちも豊かな生活を送れる持続可能な社会を実現するために,国際連合が示した17の目標。「貧困をなくそう」「飢餓をゼロに」などがあり,2030年までの達成を目指している。

▲ 安全な水とトイレを世界中に —— SDGsの17の目標の一つ。すべての人が安全な水を飲み,衛生的なトイレを使用することができるようにさまざまな取り組みが行われている。

【 多 数 決 と 民 主 主 義 】

Q. 16

難 易 度 ★ ★ ★

多数決で決定するとき，
少数意見の尊重が
大切なのはなぜ？

ヒント　少数意見は本当に正しくないのかな…？

A. 多数派の意見が正しいとは限らないから。

多数派の意見にも正しくない場合があり, 少数派の反対意見をきちんと聞き, 話し合いをしていく中で, まちがいが修正されていく可能性がある。また, 多数決で決まったことには, 少数派の人々も従わなければならないが, 少数派を軽視すると, 少数派の人々の不満が高まることになる。

決定のしかた	長所	短所
全員一致 （全会一致）	全員が納得する	決定に時間がかかることがある
多数決	一定の時間内で決定できる	少数意見が反映されにくい

▲ 全員一致と多数決（決定のしかた）
—— 全員一致と多数決のそれぞれに長所と短所がある。

簡単に多数決で決定するのではなく, 可能な限り時間をかけて話し合いをすることが大切だ。

あわせて確認 ［直接民主制と間接民主制］

 民主主義の社会では, 最終的に多数決で決めることがほとんどだ。直接民主制でも間接民主制でもそうなる。

 みんなが集まって, 直接話し合いをしたほうがいいような気がする。

 しかし, 日本の政治を話し合うのに1億人も集まることはできないから, 多くの場合, 間接民主制がとられている。

 直接民主制はとり入れてないの?

 憲法改正の国民投票や地方自治での住民投票などは, 直接民主制だ。

 選挙の投票はどっち?

 選挙の投票は間接民主制だ。自分の考えを代表してものごとを決める議員を選んでいることになるからね。

▲ 直接民主制と間接民主制 —— 間接民主制は, 議会制民主主義や代議制ともいう。

住民投票 —— 都道府県や市（区）町村の住民が行う投票。都道府県知事や市（区）町村長, 議員などをやめさせたり, 議会を解散させたりしたい場合に行う。また, 条例をつくって, 地域の重要な問題について住民投票を行うこともある。

くわしく 住民投票では, 中学生や日本に住む外国人が投票することもある。

実力がついたかどうか，試してみよう。

[政治・国際] 確認テスト

●100点満点
●答えは167ページ

1 日本国憲法について，次の各問いに答えなさい。

──── （(3)は10点，ほかは6点×3）

(1)右の図は，日本国憲法の三つの原則
を示したものです。次の各問いに答え
なさい。

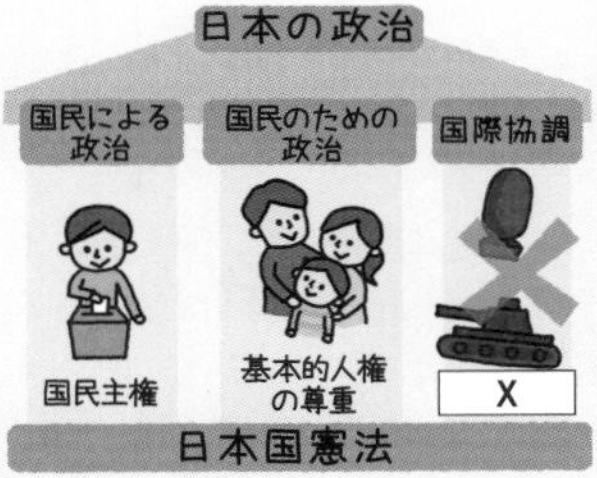

① 図中の ┃ X ┃ にあてはまる，三つの
原則の 1 つを答えなさい。

〔　　　　　　　〕

ミス注意

② 図中の基本的人権の内容に**あては
まらないもの**を，次の**ア〜エ**から 1 つ選び，記号で答えなさい。〔　　　〕

ア 働く人が団結すること。　　　**イ** 性別で差別されないこと。

ウ 自分の考えを発表すること。　**エ** 税金を納めること。

(2)　日本国憲法では，天皇は政治についての権限をもたず，日本の国と日
本国民のまとまりの（　　　）という役割を果たしています。（　　　）にあて
はまる語句を漢字で書きなさい。〔　　　　　　　〕

(3)　日本国憲法は，国の権力を憲法によって制限する立憲主義という考え
方にもとづいてつくられています。これは，どんなことを防ぐための考え方
ですか。「**基本的人権**」という語句を用いて，簡単に説明しなさい。

〔　　　　　　　　　　　　　　　　　　　　　　　　　　　　　　　　〕

日本の政治

| 国民による政治 | 国民のための政治 | 国際協調 |

国民主権　　基本的人権の尊重　　X

日本国憲法

2 三権分立について示した下の図を見て，次の各問いに答えなさい。

──── （6点×7）

ミス注意

(1)図中の**A〜C**の──▶にあてはまるもの
を，次の**ア〜ウ**からそれぞれ選び，記
号で答えなさい。

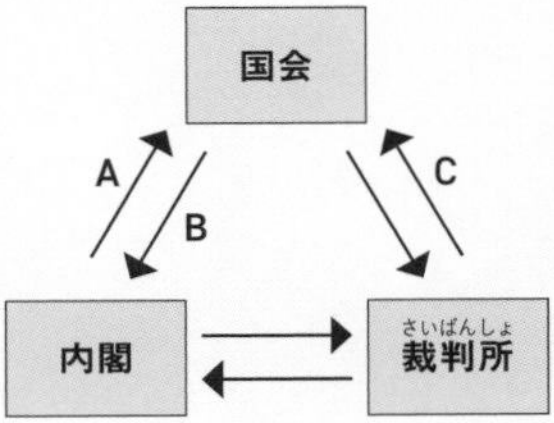

A〔　　　〕　**B**〔　　　〕

C〔　　　〕

ア 内閣総理大臣を指名する。

イ 衆議院の解散を決める。

ウ 法律が憲法に違反していないかを審査する。

国会

A　B　C

内閣　　裁判所

(2)図中の国会には，2つの議院があります。2つの議院は，衆議院ともう1つは何という議院ですか。　〔　　　　　〕

(3)図中の内閣について，次の各問いに答えなさい。

(ミス注意) ①内閣の仕事に**あてはまらないもの**を，次の**ア〜エ**から1つ選び，記号で答えなさい。　〔　　　　　〕

ア　法律を制定する。　　イ　外国と条約を結ぶ。
ウ　政令を制定する。　　エ　最高裁判所の長官を指名する。

②内閣の仕事の進め方について話し合う会議を何といいますか。
〔　　　　　〕

(4)図中の裁判所について，日本では，国民が裁判員として裁判に参加する裁判員制度が取り入れられています。裁判員制度の対象となる裁判として正しいものを，次の**ア〜ウ**から1つ選び，記号で答えなさい。〔　　　　　〕

ア　民事裁判　　イ　刑事裁判　　ウ　民事裁判と刑事裁判

3　国際社会について，次の各問いに答えなさい。

(6点×5)

(1)アメリカでは，(　　　　)を話す，ヒスパニックとよばれる移民の人口が増えています。(　　　　)にあてはまる言語を，次の**ア〜エ**から1つ選び，記号で答えなさい。　〔　　　　　〕

ア　フランス語　　イ　ドイツ語
ウ　イタリア語　　エ　スペイン語

(2)中国で2015年まで行われていた，一組の夫婦につき子どもを原則として一人までに制限する政策を何といいますか。　〔　　　　　〕

(3)サウジアラビアについて，次の各問いに答えなさい。

①サウジアラビアの国民のほとんどが信仰している宗教は何ですか。
〔　　　　　〕

②右のグラフは，サウジアラビアの輸出量が世界で最も多い資源の国別輸出量割合を示したものです。この資源を，次の**ア〜エ**から1つ選び，記号で答えなさい。　〔　　　　　〕

世界計 22億t

サウジアラビア 16.3%	ロシア 11.6	イラク 8.4	カナダ 7.0	その他 56.7

(2018年)　（2021/22年版「日本国勢図会」)

ア　石炭　　イ　石油　　ウ　天然ガス　　エ　鉄鉱石

(4)国際連合が2030年までに達成しようと決めた，「貧困をなくそう」「飢餓をゼロに」などの17の目標をアルファベット4字で何といいますか。
〔　　　　　〕

もう少しわけを考えてみよう   あと少しだね

Q.17 政治ってどういうこと？

 国会議員や大臣がしていることを考えよう。

Q.18 裁判をだれでもぼうちょうできるのはなぜ？

 裁判が秘密に行われていたらどうなるかな。

Q.19 選挙で問題になる「一票の格差」ってどういうこと？

 自分の一票の価値が軽かったらイヤだな。

Q.20 都道府県や市（区）町村の議会が独自に条例をつくることができるのはなぜ？

 全国どこでも同じ政治ではうまくいかない。

Q.21 日本の国の収入のうち，借金が多いのはなぜ？

 借金をするのは，○○が不足しているから。

総額107兆円

税金 53.9%		
消費税 19.0%	所得税 17.5	公債 40.9
法人税 8.4		その他の税金9.0

その他 5.2

（財務省資料）

▲ **日本の国の収入**（2021年度）…公債は借金のこと。

A.17 国や都道府県などが，社会をよくするために必要な政策を実行すること。

- 国や都道府県，市（区）町村は，社会をよくするために，選挙で選ばれた議員がいろいろな制度やきまりをつくって，人々のくらしについての願いの実現を目指している。

A.18 裁判が公正に行われていることを示すため。

- 裁判が公開されなければ，裁判が公正に行われているか確かめることができなくなってしまう。
- 裁判はだれでも自由にぼうちょうできる。

A.19 選挙区によって，一票の価値が大きく異なり，不平等があること。

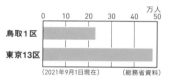

▲ 議員一人あたりの有権者数（衆議院小選挙区）…有権者が多いと，当選に多くの票が必要で，一票の価値が軽くなる。

A.20 地域の実情に合った政治を行うことができるようにするため。

- 条例は，都道府県議会や市（区）町村議会が定める独自のきまりのことで，法律のはん囲で定められる。
- 定めた都道府県や市（区）町村でしか適用されない。

A.21 税金だけでは支出に必要なお金をまかなうことができないから。

- 国の収入のうち，借金である公債が約4割をしめている。
- 少子高齢化が進み，税収がのびないのに年金や医療のための支出が増えているため。

Q. 22 核兵器をもっている国が他の国から
の核攻撃を防ぐことができると
考えているのはなぜ?

Q. 23 アメリカの食品の
サイズが日本の食品
より大きいのはなぜ?

(Alamy/PPS通信社)

▲ アメリカで売られている1ガ
ロン(約3.8リットル)の牛乳

Q. 24 韓国の人々が親や年上の人を
とくによく敬うのはなぜ?

💬 ある教えを大切にしているんだって。

Q. 25 NGO(非政府組織)は, 利益の追求を
目的としていないのに, 活動を続けら
れるのはなぜ?

Q. 26 フェアトレード(公正貿易, 公正取引)とい
うしくみができたのはなぜ?

💬 フェアトレードとは発展途上国の商品を適正な価格で取り引きすること。

A. 22

核兵器をもっている国を攻撃すれば，核兵器で反撃してくるおそれがあり，相手は先制攻撃をしてこないと考えるから。

- 核兵器で反撃されると予想すれば，その国への攻撃を思いとどまるため，核攻撃を受けないと考えられている。
- しかし，いったん核兵器が使われると，反撃が次々と続き，おそろしい被害が発生すると考えられる。

A. 23

アメリカは，国土が広く，人々がまとめ買いをすることが多いから。

- アメリカは国土が広く，毎日買い物に出かけることが難しい地域もあるため，一週間や一か月に一度，まとめ買いをすることが多い。
- そのため，食品のサイズも大きいものが多い。

A. 24

儒教の教えを大切にしているから。

- 儒教は，今から2500年前ごろに，孔子という人が中国で説いた教えで，韓国にも広まった。孔子は，親子やきょうだい，人の上下関係を大切にし，思いやりの心で政治を行うことを説いた。

A. 25

募金や寄付金，ボランティアによって支えられているから。

- NGO（非政府組織）とは，政府に属さずに国際的に活動する民間の団体。平和や人権，環境などの分野で問題解決に取り組んでいる。
- 「国境なき医師団」「難民を助ける会」などがある。

A. 26

発展途上国の労働者の賃金が不当に安くなるのを防ぐため。

（Alamy/PPS通信社）

▲ フェアトレードラベルのついたバナナ…フェアトレードにより，発展途上国の労働者に適正な賃金を支はらい，生活を支えることができる。

地理　　　　　　　　　p.61-62

1 (1) **エ**

(2) 緑のダム

(3) リサイクル

2 (1) 北方領土

(2) 本州

(3) **イ**

(4) (例) 魚や石油などの資源が沿岸国のものになる水域。

3 (1) 津波

(2) 季節風

(3) **エ**

(4) 中京工業地帯

4 (1) メディアリテラシー (情報リテラシー)

(2) ハザードマップ (防災マップ)

(3) 長所：**イ**　短所：**ウ**

解説

1 (1) 病院の地図記号は、昔の軍隊の「衛生隊」のマークをもとにしたものである。**ア**は⚓、**イ**は✕、**ウ**は文の地図記号でそれぞれ表される。

(2) 川の水をためるダムのはたらきと似ていることから、森林は「緑のダム」とよばれている。

(3) ごみを減らすための取り組みとしてリサイクルのほかに、ごみを減らすリデュース、ものをくり返し何度も使うリユースがある。これらをまとめて3R(スリーアール)という。

2 (2) 日本列島は、北海道、本州、四国、九州の四つの大きな島と、周辺の小さな島々からなる。

(4) 排他的経済水域(200海里水域)は、領海の外側に広がる、海岸線から200海里(約370km)以内の水域である。1970年代に各国が排他的経済水域を設定して、他国の漁業を制限したため、日本の遠洋漁業の漁獲量は大きく減少していった。

3 (1) 写真は津波ひなんタワー。地震の対策として耐震工事、土石流の対策として砂防ダムの設置など、国や都道府県などが中心となって防災・減災のための取り組みが進められている。

(2) 季節風(モンスーンともいう)は冬は北西から、夏は南東からふき、日本の気候に大きな影響をあたえている。

(3) 群馬県嬬恋村は標高が高く、平地に比べて夏でもすずしい気候である。この気候をいかしてキャベツなどの高原野菜の抑制さいばいがさかんである。

(4) 中京工業地帯は全国で最も工業生産額が多い工業地帯で、とくに自動車工業を中心とする機械工業が発達している。

4 (1) 情報化が進んだ現代は、大量の情報があふれており、その中には有害なものもあるため、メディアリテラシーをもつことが大切である。

(3) **ア**は火力発電や原子力発電の長所、**エ**は原子力発電の短所。

1 (1) **A**：聖徳太子
　　（厩戸王，厩戸皇子）
　　B：聖武天皇
　　C：藤原道長
　(2) 十七条の憲法
　(3)（例）日本に仏教の正しい教えを
　　　広めてもらうため。
　(4) **ウ**

2 (1) **A**：ご恩　　**B**：奉公
　(2)（例）年貢を確実にとるため。

3 (1) 徳川家康
　(2) キリスト教
　(3) 現金（お金）
　(4)（例）ロシアから賠償金を得るこ
　　　とができなかったから。
　(5) ① **Y**　　② **Z**　　③ **X**

4 (1) **ア**
　(2) **c**，**d**（順不同）
　(3)（例）25才以上のすべての男性
　　　　　　　　　　　　　（男子）

解説

1 (2) 人の和を大切にすること，仏教を
　　　信仰すること，天皇の命令を必ず
　　　守ることなどが示されている。
　(3) 当時の日本には，僧になる資格を
　　　あたえることができる僧がいな
　　　かった。鑑真は何度も渡航に失敗
　　　しながらも来日し，寺院や僧の制
　　　度を整え，唐招提寺を建てた。
　(4) このころ，中国の文化をもとに日
　　　本の風土や生活に合った日本風
　　　の文化（国風文化）が生まれた。**ア**
　　　は鎌倉時代，**イ**は聖武天皇のころ
　　　の文化の特色。

2 (1) 御家人とは，鎌倉幕府の将軍の
　　　家来になった武士。
　(2) 豊臣秀吉は検地を行い，耕作者
　　　に田畑を耕す権利を認めたが，決
　　　められた年貢を納める義務も課し
　　　た。

3 (1) 徳川家康は，1603年に朝廷から
　　　征夷大将軍に任命され，江戸（東
　　　京都）に幕府を開いた。
　(2) 島原・天草一揆は，島原（長崎県）・
　　　天草（熊本県）で，キリスト教の信者
　　　の農民らが起こした大規模な一
　　　揆。この一揆のあと，江戸幕府は
　　　キリストの像をふませる絵ふみなど
　　　を強化して，キリスト教の取りしまり
　　　を強めた。
　(3) 江戸時代は収穫高に応じて米を
　　　年貢として納めていたが，米のと
　　　れる量は天候などにえいきょうされ
　　　るため，税収入が不安定だった。
　　　明治政府の地租改正により，国の
　　　収入が安定した。
　(5) ①の五箇条の御誓文が出された
　　　のは1868年，②の大日本帝国憲
　　　法の発布は1889年，③の参勤交
　　　代の制度が確立されたのは1635
　　　年。

4 (1) 満州は中国の東北部。日本軍は，
　　　1932年に「満州国」をつくり，政治
　　　の実権をにぎった。
　(2) 1945年8月6日に **c** の広島市，8月
　　　9日に **d** の長崎市にアメリカ軍に
　　　よって原子爆弾（原爆）が投下され
　　　た。
　(3) 選挙権は2016年に18才以上の男
　　　女に引き下げられた。

1 (1)①平和主義　②エ

(2)象徴

(3)(例)国民の基本的人権がおか
されるのを防ぐため。

2 (1) A：イ　B：ア　C：ウ

(2)参議院

(3)①ア　②閣議

(4)イ

3 (1)エ

(2)一人っ子政策

(3)①イスラム教　②イ

(4)SDGs

解説

1 (1)①平和主義は日本国憲法の前文
と第9条に定められている。
第9条では,日本が戦争をしない
こと(戦争放棄),戦力をもたないこと
などが定められている。
②エの税金を納めることは,基本
的人権ではなく,国民の義務であ
る。国民の義務にはほかに,子ど
もに教育を受けさせる義務,仕事
について働く義務がある。

(2)国会の召集などの天皇の国事行
為には,内閣の助言と承認が必要
である。

(3)憲法で国の権力を制限する立憲
主義によって,権力の乱用を防ぎ,
基本的人権を保障しようとしてい
る。

2 (1)アの内閣総理大臣を指名する権
限は,国会が内閣に対してもつ権
限なので B,イの衆議院の解散を
決める権限は,内閣が国会に対し

てもつ権限なので A,ウの法律が
憲法に違反していないかを審査す
る権限は,裁判所が国会に対して
もつ権限なので C である。

(3)①アの法律を制定することは,国
会の仕事である。
②閣議は内閣総理大臣が開く。内
閣総理大臣と国務大臣が出席し,
原則として全員一致で決定する。

(4)裁判員制度が取り入れられている
のは,殺人や強盗などの重大な犯
罪についての刑事裁判である。裁
判員はくじで国民の中から選ば
れ,裁判官とともに,うったえられ
た被告人が有罪か無罪か,有罪
の場合は,どのようなけいばつに
するかを決定する。

3 (1)ヒスパニックは,メキシコや中央ア
メリカの国々などからアメリカに移
り住んだ,スペイン語を話す移民と
その子孫。自分が住んでいた国よ
り高い収入が得られるために,アメ
リカに移住してくる。

(2)2016年からすべての夫婦に2人
の子どもを認める政策に変わった
が,生まれる子どもの数が減って
いったため,2021年に3人の子ど
もまで認めることになった。

(3)①イスラム教は,北アフリカ,西アジ
ア,中央アジア,東南アジアに信
仰する人が多い。

(4)SDGsは「持続可能な開発目標」
のこと。

編集協力	中屋雄太郎, 野口光伸, 余島編集事務所
キャラクターイラスト	error403
本文イラスト	error403, さとうさなえ, 森永みぐ
ブックデザイン	小口翔平＋後藤司(tobufune)
図版	ゼム・スタジオ, 木村図芸社, 明昌堂, アート工房
写真提供	写真そばに記載。記載のないものは編集部。
DTP	(株)明昌堂

データ管理コード：21-1772-1539

読者アンケートのお願い
本書に関するアンケートにご協力ください。
右のコードか下のURLからアクセスし、以下のアンケート番号を入力
してご回答ください。当事業部に届いたものの中から抽選で年間200
名様に、「図書カードネットギフト」500円分をプレゼントいたします。
アンケート番号：**305464**
https://ieben.gakken.jp/qr/sho_wakewaka/

わけがわかる 小学社会